中华现代学术名著丛书

金 翼

——中国家族制度的社会学研究

林耀华 著

2016年·北京

图书在版编目(CIP)数据

金翼:中国家族制度的社会学研究/林耀华著.—北京:商务印书馆,2015(2016.3重印)
(中华现代学术名著丛书)
ISBN 978-7-100-10488-3

Ⅰ.①金… Ⅱ.①林… Ⅲ.①家族—制度—社会学—研究—中国—近代②家族—制度—社会学—研究—中国—现代 Ⅳ.①D693.91

中国版本图书馆CIP数据核字(2013)第286636号

所有权利保留。
未经许可,不得以任何方式使用。

本书据生活·读书·新知三联书店2007年版排印,
并由三联书店授权出版

中华现代学术名著丛书
金　翼
——中国家族制度的社会学研究
林耀华　著
庄孔韶　林宗成　译

商 务 印 书 馆 出 版
(北京王府井大街36号 邮政编码 100710)
商 务 印 书 馆 发 行
北京冠中印刷厂印刷
ISBN 978-7-100-10488-3

2015年3月第1版	开本 880×1240 1/32
2016年3月北京第2次印刷	印张 7⅞ 插页 1

定价:23.00元

林耀华

(1910—2000)

出版说明

百年前,张之洞尝劝学曰:"世运之明晦,人才之盛衰,其表在政,其里在学。"是时,国势颓危,列强环伺,传统频遭质疑,西学新知亟亟而入。一时间,中西学并立,文史哲分家,经济、政治、社会等新学科勃兴,令国人乱花迷眼。然而,淆乱之中,自有元气淋漓之象。中华现代学术之转型正是完成于这一混沌时期,于切磋琢磨、交锋碰撞中不断前行,涌现了一大批学术名家与经典之作。而学术与思想之新变,亦带动了社会各领域的全面转型,为中华复兴奠定了坚实基础。

时至今日,中华现代学术已走过百余年,其间百家林立、论辩蜂起,沉浮消长瞬息万变,情势之复杂自不待言。温故而知新,述往事而思来者。"中华现代学术名著丛书"之编纂,其意正在于此,冀辨章学术,考镜源流,收纳各学科学派名家名作,以展现中华传统文化之新变,探求中华现代学术之根基。

"中华现代学术名著丛书"收录上自晚清下至20世纪80年代末中国大陆及港澳台地区、海外华人学者的原创学术名著(包括外文著作),以人文社会科学为主体兼及其他,涵盖文学、历史、哲学、政治、经济、法律和社会学等众多学科。

出版说明

出版"中华现代学术名著丛书",为本馆一大夙愿。自1897年始创起,本馆以"昌明教育,开启民智"为己任,有幸首刊了中华现代学术史上诸多开山之著、扛鼎之作;于中华现代学术之建立与变迁而言,既为参与者,也是见证者。作为对前人出版成绩与文化理念的承续,本馆倾力谋划,经学界通人擘画,并得国家出版基金支持,终以此丛书呈现于读者面前。唯望无论多少年,皆能傲立于书架,并希冀其能与"汉译世界学术名著丛书"共相辉映。如此宏愿,难免汲深绠短之忧,诚盼专家学者和广大读者共襄助之。

商务印书馆编辑部
2010年12月

凡 例

一、"中华现代学术名著丛书"收录晚清以迄20世纪80年代末,为中华学人所著,成就斐然、泽被学林之学术著作。入选著作以名著为主,酌量选录名篇合集。

二、入选著作内容、编次一仍其旧,唯各书卷首冠以作者照片、手迹等。卷末附作者学术年表和题解文章,诚邀专家学者撰写而成,意在介绍作者学术成就,著作成书背景、学术价值及版本流变等情况。

三、入选著作率以原刊或作者修订、校阅本为底本,参校他本,正其讹误。前人引书,时有省略更改,倘不失原意,则不以原书文字改动引文;如确需校改,则出脚注说明版本依据,以"编者注"或"校者注"形式说明。

四、作者自有其文字风格,各时代均有其语言习惯,故不按现行用法、写法及表现手法改动原文;原书专名(人名、地名、术语)及译名与今不统一者,亦不作改动。如确系作者笔误、排印舛误、数据计算与外文拼写错误等,则予径改。

五、原书为直(横)排繁体者,除个别特殊情况,均改作横排简体。其中原书无标点或仅有简单断句者,一律改为新式标点,专名号从略。

六、除特殊情况外,原书篇后注移作脚注,双行夹注改为单行夹注。文献著录则从其原貌,稍加统一。

七、原书因年代久远而字迹模糊或纸页残缺者,据所缺字数用"□"表示;字数难以确定者,则用"(下缺)"表示。

目录

著者序 ·· 林耀华　1
英文版前言 ·· 林耀华　5
英文版导言 ·· 雷蒙德·弗思　8

第一章　东林的青少年时代 ································ 13
第二章　摆脱贫困 ······································ 24
第三章　打官司 ······································· 36
第四章　张家新居 ····································· 46
第五章　早期教育 ····································· 58
第六章　村里的节日 ··································· 68
第七章　农业系统 ····································· 77
第八章　大米交易 ····································· 85
第九章　商店的生意 ··································· 94
第十章　芬洲的命运 ·································· 102
第十一章　求学雄心 ·································· 110
第十二章　分裂 ····································· 119
第十三章　店铺分家 ·································· 130
第十四章　土匪 ····································· 140
第十五章　兄弟争吵 ·································· 151

第十六章　店铺的扩展 ·············· 163
第十七章　趋向两极的张黄两家 ·········· 173
第十八章　地方政治 ··············· 185
第十九章　水路交通 ··············· 198
第二十章　僵局 ················· 208
第二十一章　把种子埋入土里 ··········· 221

附录　《金翼》中张、黄两家系谱表············ 229

林耀华先生学术年表 ·········· 林宗锦　潘守永　230
林耀华先生写作《金翼》············ 庄孔韶　238

著者序

《金翼》是我在40年前写成的一部研究社会学的著作。

1940年,我于美国哈佛大学人类学系获得博士学位,嗣后曾留校担任助教。其间,我利用工作余暇,对30年代搜集的资料进行整理、研究,着手写这本书,并于翌年脱稿。

在美国太平洋关系研究所腊斯克(B. Lasker)教授的推荐下,《金翼》得以于1944年在纽约印行,当时所用副标题是"一部家族的编年史"(A Family Chronicle)。该书面世后,美国、英国曾有多篇书评。

抗日战争胜利前夕,我在成都燕京大学社会学系代理系主任,太平洋研究所的霍兰(W. L. Holland)先生曾来华与我会晤,请我修订此书。英文修订本以"中国家族制度的社会学研究"(A Sociological Study of Chinese Familism)为副题,较原稿增加了最后一章的理论阐述,并请英国著名社会人类学家弗思教授(Raymond Firth)为之作导论。1947年正式出版于伦敦。

这部书的出现,在国内外学术界引起了一定的反响。国内学者十分重视,我的老师吴文藻先生曾向日本学术界举荐;英、美、日等国素享权威的人类学家、社会学家都做出了积极的、广泛的评论、研讨和介绍,评价较高。时至今日,海外一些大学的人类学系还把此书选为研究中国社会的主要参考书。前几年,我曾先后去日本东京、京都、大阪等处,并到美国加州、哈佛、耶鲁、哥伦比亚、密西根等大学访问,足迹所至,主人们总是提到《金翼》,读了这本书,似乎觉得往昔中国古老、神秘的一切,变得比较逼真、切实了。对于作者而言,这已经是很大的满足了。

《金翼》一书,是用小说体裁写成的。数十年来,不少读者、不少朋友在问:这部著作,究竟是虚构的故事,还是科学的研究?

我想说,《金翼》不是一般意义上的小说。这部书包含着我的亲身经验、我的家乡、我的家族的历史。它是真实的,是东方乡村社会与家族体系的缩影;同时,这部书又汇集了社会学研究所必需的种种资料,展示了种种人际关系的网络——它是运用社会人类学调查研究方法的结果。

这部书中所叙述的故事及其人物,活动的年代是自辛亥革命到日本入侵中国之间的30年;活动的场景是中国南方闽江中游的农村,从村落到乡镇乃至都市;活动的舞台是从农业到商业,从经济、文化乃至地方政治。而这正是我青少年时期耳濡目染的一切,是我生于斯、长于斯的地方。本书所描绘的每个事件甚至细枝末节,从本质上讲都是真实的,每个人物都有所指。作为这个四世同堂的家族社会的成员之一,对其多年中沿习的风俗习惯、文化特质,我无不谙悉。

然而,绝不仅此。实地观察和分析,是社会人类学主要的研究方法。1934至1937年间,我在燕京大学社会学系取得硕士学位前后,曾两次返回家乡,利用一年半时间,运用社会人类学的研究方法,有针对性地、系统全面地进行社会调查,其后便赴美深造。这部书中使用的资料,相当一部分是在那时搜集并整理出来的。我本人出于这同一社会,以其参与者的身份,"自观"地对其进行研究(这里可以借用当代文化人类学中的术语"emic"),也就是说,既有直接的、从该社会内部进行的观察,又运用了科学的方法,透过大大小小的事件叙述,从微观到宏观,超越一个家族、一个地区的范畴,赋予其社会学上的普遍意义。我希望,这样做,能够得出更为客观、中肯,更加深刻,更切实际的结论。

总之,这本书所记述的,从纵向讲,有其历史的连续性;横向则具有延伸的广阔性。我试图在其中真实地再现30年代前后中国农村生活的情景,科学地认识这一自然经济社会的剖断面。真实性、历史性、理论性的结合,是本书追求的宗旨。为了使原本丰富生动的历史事实不至于桎梏在刻板艰涩的论著形式之中,我采用了小说体裁,把全部材料重新加以组织,有机地融化在故事情节内。也许,单纯作为注重情节变化的文学作品来读,《金翼》是不大适宜的。

《金翼》描写的时代已经远逝了。但是,我们今天对于国内各民族的社会历史调查工作还十分薄弱,对于汉族文化生活,对于汉族社会具体的调查研究及其系统化的科学成果也还为数不多,尚难适应社会发展的需要。这本书虽是将近半个世纪以前的作品,或许还能作为广大社会科学工作者进行科学研究的参考读物。这就是我承三联书店之邀,愿意把这部书贡献给广大读者的原因。

《金翼》原来是用英文写成并发表的。1977年,中译本(宋和译)曾首次于台湾出版。1983年,书店应读者要求,决定重译出版。承庄孔韶、林宗成二同志通力合作,把这部书译成了中文。遗憾的是,迄译完毕已近三秋,仍未能见书。幸编辑先生鼎力疏通出版印刷诸关节才使此书有了着落。愿能尽早面世,使中国人在半个世纪后看到自己的故事。目下,译者林宗成已远在海外就读博士学位,庄孔韶在我的指导下成为解放后第一位民族学专业博士。近日,他荣获香港霍英东青年研究基金,这笔钱是用来完成他对福建汉族的田野工作、研究访问和撰写的一揽子计划,这一计划的直接结果便是本书《金翼》的续篇《银翅》以及影视人类学作品《端午节》,这前后两部书和同一地点拍摄的专业录像将会构成一个人类学的汉人社会研究系列,相信会引起海内外同行的新的兴趣。

诚挚地向海内外读者致意!

林耀华

1988年9月6日　于北京

英文版前言

1934年冬,我回到位于中国南方的福建省。使我异常震惊的是在我的童年就与之有密切关系的两家人的变化。这两家的家长黄东林和张芬洲是姻兄弟。25年前他们是生意的合股人,也同样发达。两家的新居近在咫尺,一直是路经两家之间商道上旅人们交口称赞的话题。现在两家的景况却全然不同。东林处于兴旺发达的顶峰,有许多直系和旁系的子孙。他既有钱财又有名望,而芬洲却死去了。他的家只剩下一位寡居的儿媳和她的养子。1937年我再次回乡时,我发现张家的房舍破败了,寡妇陷入孤独、贫穷的境地。她和养子甚至被迫返回远方的娘家,和远房亲戚们一起过活。

一度不相上下的两个家族为什么能在仅20余年间为两种截然不同的命运所左右?何至于此呢?我听很多人说过,一个家族的兴衰是由"风水"的好坏决定的,人类的意愿完全无力与命运的力量抗衡。我要相信这种看法吗?当然不。因为我受过教育,我必须从生活中而不是从神话中探索真正的原因。那么这原因是什么呢?

在谈到帝国、家族或个人的命运时,我们探索的是人际关系。我们能理解这些关系吗?年复一年、日复一日,我们能够领会那些发生在男男女女之间相互适应所发生的变化吗?我们究竟能够认识命运的旅程吗？就以婴儿为例，当他降临人世那一刻，他就对父母、保姆和亲属做出反应。与此同时，尽管他是个婴儿，其他人也对他做出反应。他长大成人期间，这孩子同其他人交往，这种相互影响的性质就提供了造就他的力量。设想一下这一定是何等连续不断的适应过程啊！学者们现在说，人类的生存是一个持续不断地学习对刺激做出反应的过程。人的行为像所有动物的行为一样，处于这些过程的控制之下。科学终于开始描述这些过程了。现在这里讲的是张、黄两家的命运。他们两家有亲戚关系。他们适应实际状况、环境和种种事件以便学习与生存。他们经历了些什么呢？

正如我所表明的，这一研究是取自许多学者和个人观点的发展。我同这些国内外的学者和个人有着密切的联系，但我只能提到几位以某种方式对这部著作有所贡献的学者。

首先，我在社会学方面的启蒙教育得自北平燕京大学吴文藻教授，他的教诲始终鼓舞着我的学术研究。

我感谢哈佛燕京学社的董事们在1937—1940年给予我一份奖学金。没有这份奖学金我不可能在哈佛大学做进一步的研究。我在民族学和社会人类学方面的训练受益于胡顿（E. A. Hooton）、托泽（A. M. Tozzer）、库恩（C. S. Coon）和克拉克洪（Clyde Kluckhohn）几位教授。

在撰写这部书的过程中，我深深地得益于查普尔（Eliot D. Chapple）和阿伦斯伯格（Conrad M. Arensberg），他们给予我极为宝贵的建议与批评。我的朋友加布里埃尔·腊斯克（Gabriel Lasker）极为关注这本书的进展。我尤其感谢太平洋关系学会的布鲁诺·腊斯克（Bruno Lasker）和霍兰（William L. Holland）两位先生。他们阅读了我的手稿,由于他们的协助,这本书才得以问世。

我愿向伦敦大学的弗思教授致以谢忱,他为本书写了导言。在成都修改手稿时,我的朋友萨金特夫人(Mrs. Douglas N. Sargent)曾为我的英文润色。我还深深地感谢我的妻子饶毓苏女士,在国外和国内的几年中,她为我的作品提出了最有教益的批评。

林耀华

于成都燕京大学社会学系

英文版导言

《金翼》是一部以小说形式写成的社会学研究著作。就构思来说，它的主题非常简单，却像竹叶画一样，其朴素的形式掩映着高水平的艺术。这个故事在于剖析福建一个村庄里毗邻而居的两个家族。这两家既有亲戚关系，又一起做生意。其中一家度过逆境继续繁荣，另一家最初很是兴旺而后却衰落了。本书的中心人物是第一家的家长黄东林，他说不上是一位英雄，却是中国农民中最优秀的典型，勤俭节约、精明能干、吃苦耐劳。他的"金翼之家"得名于附近一座形状很像金鸡的山，山峦的一侧如翅膀一般伸向新的房舍。看风水是中国占卜术的传统组成部分，认为这样做会使家族发达兴旺，而对于社会学家来说，反应就全然不同了。以偶然事件的形式所表现出的机遇如突然死亡，与旧时学友重逢，幸运地发现一份文件从而赢了一场官司等，虽说发挥了一定的作用，但真正的命运存在于各个人的心中，就像欧里庇得斯或陀思妥耶夫斯基等一切伟大的戏剧家和小说家向我们展现的那样，一个人选择善或恶、聪明或愚蠢，确实不取决于兴之所至或偶然的机遇，而是由他本人或他人那些本来具备的爱好和习惯所决定。这些爱好与习惯起着决定性的作用，因而一个人的善恶智愚实际上早就选定了。林耀华教授以不同的说法表达了相同的见解："我们今天可以将'上苍'理解为人类本身，把'命运'看成是人类社会。"

作者遇到了所有严肃的文学作品都存在的问题：通过对个别事件的分析，提炼出普遍性。他有意识地让自己做这样一个工作：通过叙述一小群人生括中的一系列事件对一个社会过程加以考察和解释。他只是偶尔对必须说的用抽象的语汇加以表达。但他非常成功地避免了很容易陷入的险境，即对某些默默无闻的中国农民的生老病死做冗长的记述。相反，他巧妙地设法将这一记述提高到具有真正社会学意义的水平，使几乎每一件事都成为东方农村社会某些进程的缩影。而且，林教授所选择的方法不只是使读者感兴趣，其长处还在于摆脱了某些科学程序的一般原则，至少摆脱了社会学家和历史学家常常不可避免地大量引用文献资料。作者似乎是身临其境，不论是在药铺、在闺中还是在土匪山老巢，他都能真实地告诉我们每个人物的言行举止，甚至能探寻他们的心灵深处，解释他们当时的动机和昔日的感情。我们一定会发问，所有这些在何种程度上是真实的？我猜想林教授不会回避这个问题。他会指出，正如在序言中所暗示的，他写的是他的故乡，他从童年开始直至成年相识的人们。倘若他并不是一直与他们朝夕相处，至少他也是经常处于相同的环境。例如，人们或许可以认为作者本人也体验过一些他所叙述的经历，诸如一位读书人告别故乡，在海外求学，而后载誉归来身居要职。然而，不论他是如何集真实的观察和想象的再现之大成，其手法是如此的圆熟，书中的每一件事都是真实可信的。

请我写这篇导言并不是为了证明作者取材的真实性和概括的恰当与否，就这一点而言，作者早年同吴文藻教授的交往以及他本人的声誉已是明证。作为同行，我的任务不过是说几句赞誉之辞而已，我个人尚无机会到中国去工作，却早就对研究中国文化感兴趣,并且同民主世界一样,对包括学术界在内的中国人民反对侵略者的斗争深深地表示崇敬之情。

我发现叙述和附加的分析十分引人入胜。从与在英国的中国同事和朋友的交谈中,我们习惯于欣赏他们有关英国社会生活的温文有礼而又简练精确的评论,以及他们从新的角度观察我们公认的、有时十分古怪的行为。作者对一般事件的评价也是公允和客观的,甚至这些事件可能发生在他们那被战乱所分裂的祖国。西方读者对于虚构或真实的中国家族史已有所了解,这些家族史也反映了整个中国所发生的变化。诸如《红楼梦》这类翻译作品,诸如《乐土》及其续集这类原版书,或者更为引人入胜的《被逐出的家园》,对中国社会生活的各个侧面做了生动的描绘,但读者早就希望能看到中国学者的这类著作,他们作为身临其境的参与者从童年起就熟悉自己叙述的场景,而且精通现代社会科学方法。本书就是这样一部著作。

这本书文体自然,故事精心地展开,人们也许会猜想它是否对社区生活的各个侧面进行了系统的研究和有条不紊的表述。本书的材料极为丰富,因为作者对人物生活中各种事件,甚至在区区小事中包含的一整套传统关系做了进一步分析。为东林的新居准备木材使他陷入一场纷争,这成为一个主题,围绕这个主题的展开解释了当地的司法制度。两兄弟之间的争吵为分析"分家"过程提供了根据,分家使共同的宅户和宗族分裂为较小的独立存在的团体。社会生活的各个重要方面——农业周期、婚礼、葬仪、轮船公司的业务,甚至如土匪活动那样一些令人不快的方面,被以同样朴实无华的方式依次展现出来。

通过全书的分析,读者会越来越意识到以往自己对于中国家庭和其他风俗习惯的传统看法是何等不真实。过去认为这是一种和平宁静的生活,个人丰富多彩的活动受到温文有礼、孝顺父母、尊敬长辈以及其他社会习惯和礼俗原则的严格约束。这些原则确实发挥着作用,但与此同时,个性也确确实实,有时甚至是强烈地表现出来。人们可以引用很多情节,它们解释了这一点。一般认为,中国妇女受到压迫,服从自己的男人和婆婆,以至于使她们几乎变成了奴隶。书中举出了相反的例子:一个自己有钱的妇女在商业中投资;妯娌们不受其丈夫的叔伯的管制,彼此争斗;由于护着儿媳妇,一个男人被他的老婆一再数落;一位儿媳竟如此凶悍,拿着刀满屋追赶自己的丈夫,并砍伤了一位前来干预的、上了年纪的亲戚的手腕。作者通过兄弟之间、叔侄之间关系的类似的描述,穿插提到违背宗族内不准通婚的原则和几乎违背同辈通婚原则的行为,表明这类违背孝道的事例绝非是仅存的。的确,中国社会的全貌就是这样展示出来的。这个社会做出种种努力来纠正违背这些原则或社会关系的行为,其纠正的方式本身也是精心设计、众所周知的,而且几乎被法律化了。对于西方读者来说,这种效果是一个令人痛苦的社会过程。但正如每一位人类学家都明了的,当人们逐渐习惯于这一过程时,这种印象就会日趋消失。所有这些对于想了解中国人的人以及对于社会人类学家来说,并无新奇之感。因为人类学家了解理论与实践、原则与对原则的遵从之间的脱节差不多是一个公认的假说。但本书提供了一套作为论据的事实,它将会有助于摧毁任何残存的关于中国人在社会事务中麻木不仁、不可理解的神话。

林教授对书中各种材料的综合为社会科学家们提出了一个饶有兴味的问题。在最后一章他着力以理论形式详尽阐述的概念是：人际关系体系处于一种持续均衡状态之中,这种均衡不时被外部力量所打乱直至建立新的均衡。"人类生活就是在平衡与失调、均衡与不均衡之间摆动。"这样一种综合的概念当然不过是一些试图理解和表达一个复杂的现实的可行方式,这仍是社会科学家所讨论的一个主题。例如,有些人可能会问,这种从物理学类推而来的均衡状态的观点是否过于简单化以及这种状态实际上是否曾达到过。有人可能争论说,社会活动是同时由加强和削弱平衡的力量的对抗所标志,平衡绝不可能达到。再者,使用这一概念,人们是否就不能区别达到与保持个人或心理的均衡以及达到与保持团体和社会的均衡？当后者被破坏时,前者才得以保持。正如这本小说中令人感动的最后一幕,一位老人在日本飞机的轰鸣声中还能保持冷静并意识到生活的真谛。社会学家希望讨论这类主题本身已加强了本书的魅力。

最重要的是,林教授令人赞叹地指出他选择并加以分析的两个家族所发生的变化绝不是偶然的,这是说明普遍原则的例证。这些普遍原则对于理解社会进程是十分重要的,甚至对于那些对故事比对潜在的社会学更感兴趣的读者来说,《金翼》也将是一部充满丰富经历的激动人心的小说。作者对道德问题做了冷静而公允的分析,同时又怀着明显的同情心。

雷蒙德·弗思教授

第一章 东林的青少年时代

有一次,那还是东林的爷爷在世的时候,黄村来了一位收税人,他很不公平地对待村里的一家人。东林的爷爷是个直性子人,他敲响了一面锣招呼同族人出来以便对付收税人及其同伙。如果不是税吏马上道歉的话,就会发生一场流血的争斗。从此,黄村便获得了一个头衔,被称为"蛮村"。

金鸡山高耸而苍翠,蛮村就位于山麓的低坡上。村落的下方为高山哺育的谷地。数以百计的村人居住在这里,他们主要的生计就是耕种这和缓的斜坡和山谷里的肥田沃地。那苍茫的林木一直延伸到上方陡峭的山腰。每当天空清澈无云之时,如果一位好眼力的人向金鸡山低坡上的一抹翠绿中望去,不难发现其中掩映着的农舍屋脊,屋脊上依次叠压的片片灰瓦,宛如鱼儿身上覆盖的鳞。

林子下方刚好是一条通商大道,这条大道向西两英里便是湖口镇码头,从那里沿江船只顺流而下直抵滨海城市福州;从黄村向东25英里则可通向地方城镇古田,由于这条大道从古田镇一直向西伸延,所以人们通称西路。在这条大道拓宽通车之前,在湖口和古田之间的交通令人作难,以往人们只能步行往来,靠肩挑手提运送货物,于是他们经常在黄村的茶馆里歇息,每一趟都歇上好久,谈论着地方上发生的琐事。

黄东林的爷爷,那位赶走收税人的倔强的老者是个农人,他勤于耕作发了点小财,颇有了点名气。他有三个儿子,东林的父亲是老大,不料小东林四岁那年,他的父亲突然早逝,时年仅28岁。小男孩的母亲没有再嫁,抚养两男两女,同他们的祖父一同过活。老人尤其钟爱幼孙东林,他常说这孩子的长相注定日后会发达。东林方面大眼、目光有神,两耳长且厚,后来,变成了一副商人的脸相,精明、机敏又有些严厉。

东林14岁时,老人过世了,这是小男孩第一次感受悲伤。祖父的死对他震动很大。生前,老人时常领着他访亲会友,带他穿行田地,给他讲神话和民间故事听。两人之间感情颇深,这男孩从老人那儿学到不少处世之道,也听了很多古老的传说。老人把男孩当作一个可以服侍他的永久的伙伴,好像自己也年轻了许多。

东林的生活模式被全盘打乱,所以他的哀伤是不足为奇的。毕竟,我们的生活可以冷静客观地用图表来说明。我们日常交往的圈子就像是一个由有弹性的橡皮带紧紧连在一起的竹竿构成的网,这个网精心保持着平衡。拼命拉断一根橡皮带,整个网就散了。每一根紧紧连在一起的竹竿就是我们生活中所交往的一个人,如抽出一根竹竿,我们也会痛苦地跌倒,整个网便立刻松弛。

小东林的情形便是如此。祖父的死使他哀伤一年有余。但他同母亲、兄长一起过活,久而久之又使他恢复了常态。

他兄长叫黄东明,现在已是一家之长。他勤奋、认真、能干,尽心于祖上留下来的贫瘠的土地。尽管弟弟东林太懒散,不肯同他一起干,他还是整日在田里辛勤劳作。

父亲和祖父去世使这个家族衰败了。祖父置下的田产被一分为三,东林的两位叔叔——他父亲的弟弟们各拿走了自己的一份。

现在家里有兄弟二人和他们的母亲。虽说家里的两个女儿已出嫁离家,但东明自己娶妻后生了三个孩子。尽管剩下的人拼命苦干,瘠田薄地上的收益还是难以维持七口之家的生活。

由于家道中落,他们推迟了花费甚大的祖父的葬礼,把棺木停在田庄上的一间小屋里。同样,他们也不得不把东林的婚事延迟,他不能在家中贫困之时娶妻,虽然他已值适婚年龄。

在这种命运的压力之下,黄家若不另寻谋生之道,便注定败落下去,沦为赤贫。让我们来看看后来的新的转机吧,其动力得自黄东林。

母亲和兄长的监督令东林烦躁不安,他们不断地用工作来打扰他,而对他的需要却充耳不闻。东明甚至公开说他的弟弟又懒又笨,这辈子也别想娶到老婆。这种刺激使东林开始同那些在商道上开茶馆和歇脚的人混在一起。

在商道上的茶馆里,东林注意到过往行人歇息时需要吃些茶点。他向茶馆老板建议,他是否可以在这里卖些花生给客人。然而没有人资助他。直到有一天东林在同当地人赌钱赢了几块钱时,这个计划才得以实现。他用钱向附近的农民购来花生,此后两三年间他一直做花生买卖。他常常彻夜不归,就睡在茶馆里。茶馆老板、过往商人和村里的闲汉都成了他的朋友。

走出家庭、迈进茶馆,使东林同外界的联系多了,使他稍微能避开家里极严的监督,终于在茶馆老板与常客中找到了自己的一席之地。

有一天,东林正坐在花生摊旁,看到一个人向他走来。这人正是他的姐夫张芬洲。他出生在一个名叫陈洋的村子里,时常在村里行医。这村庄坐落在西路边的山上,位于县城古田同乡镇湖口之间。

　　张芬洲走过来，东林连忙起立，两个人互致问候。谈了谈生意之后，东林把姐夫请到家里，他们在一起待了一天一夜，商量开一片店铺以便赚点钱。芬洲告诉他湖口镇上近来人口大增，人们聚在那里交换商品，有利可图的买卖越来越多。听了这些新闻，东林高兴极了，于是请姐夫为开店制订一个明确的计划，他愿意拿出卖花生所得的全部积蓄。其实，张芬洲只对开一间药铺感兴趣，这样他便能行医卖药，而黄东林则坚持出售诸如酒、花生一类货色，他们终于达成了默契。

　　然而，直到半年之后，姐夫和内弟制订的计划才得以实现。其间，东林和芬洲往来频繁，他们不仅筹划如何使用资金，还反复商量经营商店的细枝末节。

　　他们一同到湖口察看了一番，像上面说过的，这个镇子是个沿江码头，由于处在环山谷地，从江面上无法看到。在湖口山陡峭的左侧山坡下，有一条与以县城为起点的西路平行的小河同主流汇合。这样，港口的码头便设在右面的山脚下。石阶从码头向上通往主要街道开端处的山峡。这条街缓缓地顺石阶而下，一段距离之后，便可伸延至镇中心，直到镇庙前一个三角形场地为止。从庙向东，西路逶迤延伸。向东南跨过小溪上的一座桥，有一条路沿着远方的闽江通向山下。这个省的历史、本地的商业贸易和人生的活力就像这江一般奔流不息。

　　在镇上转了一遭之后，东林和芬洲在大道上租了一家铺面房，年租金是50块钱。这包括一间泥土地面的厅堂，有一土楼梯通向上面的贮藏室和后面的厨房。在厅堂左面放着装药的柜子、盒子、大酒罐、一袋袋花生，右面放着其他器物。

铺子开张时总共有四人,虽说没有很严格的分工,但每人的任务各不相同。较年长的合伙人芬洲自然是掌柜,同时,他主要负责抓药,还时常外出行医。东林虽是芬洲的合股人,干的活却更像是个伙计。他身强力壮,甘愿承担铺子里的一切力气活。芬洲的长子张茂魁虽然才12岁,就会给店里记账,此外再干点杂活。一个名叫姚云生的是店里的学徒兼厨师。

　　铺子的营业很快地就绪了,四个人能诚心合作。通常一位顾客走进门来总要问酒怎么卖,东林回答后他可能买也可能嫌贵。但他们经常会求见掌柜张芬洲,要他压点价钱。在不厌其烦地讨价还价之后,常常会达成协议。这时芬洲就让东林按顾客要的斤两倒酒。东林在秤量时总是大声地报数,账房茂魁便随声记录下来。顾客在柜台前问价付账后,酒便倒在顾客带来的酒壶或酒瓶里。东林递给顾客酒器,二人互道再见,顾客便走出店门。

　　这是做买卖的常规,但却不完全如此。有时芬洲不在,东林便是拍板定价的人。有时东林卖别的货,芬洲或茂魁便来称酒。如果忙不开,甚至那学徒也能量酒。但他一般只负责打水做饭、洗洗涮涮或扫地、跑跑腿。

　　新开张的酒店使东林离开黄村来到湖口镇,割断了他同茶馆里那些人的联系,这也使他几乎完全脱离了他的家庭。他的长兄东明偶尔到镇上来看望他,并为母亲和全家买些东西,但东林本人则根本不怎么回家。这时,已不是家庭而是店铺,成了他生活的中心。卖酒售货,接待顾客,使他终日忙忙碌碌,这是自祖父死后东林第一次感到难得有空闲。

　　在店里东林无时无刻地操劳,但他不能不注意到店门外镇上生活的迅速发展。人们从四面八方,从本乡和外乡涌进湖口镇。

新开张的店铺有如雨后春笋。在湖口镇同福州城之间,闽江的航运日益繁忙。在这一时期,互通贸易往返西路比一度繁荣的南路更加便利。南路衔接江港水口同县城古田,由于山路崎岖,常有劫掠过客的土匪出没。

买卖的兴盛与市镇的日益繁荣使芬洲与东林开始盘算扩大商店的规模。那时,从沿海城市福州运到内地市镇的最重要的商品是盐和咸鱼。食盐买卖一向由政府垄断,但镇上的商人可以在福州城的市场上买到咸鱼,运进来卖给镇上的居民和村民。而村镇为福州城提供稻米,这是中国南方人必不可少的主要食粮。西路两旁村庄的农人惯常把米运到湖口,卖给米店,商人再用船成批运到福州。

湖口的很多店铺做咸鱼和稻米生意。从农民那里买进稻米,再卖给他们咸鱼。因此,芬洲和东林决定扩大买卖,增加这类货色。这样,他们的商店经营的品种更多了。为了买卖能顺手些,他们必须同福州方面建立联系。

第一趟去福州城时,东林22岁。他身材高大,相貌英俊。他乘船顺流而下,同行的是两位朋友:郑卢国和王一阳。一阳以前是个往来于西路的鸭贩子,东林在黄村茶馆卖花生时就与他相识。但在东林到湖口开铺子之前,王一阳就已从一个小贩一跃为卖咸鱼、稻米的商人了。他同兄弟们开了一家店铺,去过福州好几趟了。在那儿已有不少熟人。另一位同行者郑卢国是道地的城里人,他在湖口开了一间卖海味、布匹和洋蜡等货物的店铺。他的铺子同东林、芬洲的店铺隔街相望。

船行三天,他们抵达离湖口80英里的福州。福州城坐落在一个方圆300英里的平原或盆地的中心。周围是如屏障般陡峭的群山。由西向东穿过盆地的闽江被南台岛分为两条支流。北边那条支流穿过洪三桥、长寿桥,在罗星塔再与南边那条支流汇合。长达1400米的长寿桥很是有名,它兴建于11世纪,全部由石头砌成,1931年又用水泥重新修建。它把城市的主要部分和南台岛连在一起,岛上有很多外国人开的商店、银行、教会学校、领事馆,还有邮局和海关。

在福州,一阳与卢国把东林引见给中亭街上的一些鱼店老板。中亭街的南端延伸到通往南台岛的长寿桥。这条街上满是专营咸鱼的店铺,因为它靠近码头。从那儿能将咸鱼由海岸经罗星塔逆流而上运进来。东林在中亭街的店里买到了各种各样的鱼,他把鱼暂时存放在一家货栈,等船来运到湖口。他住在货栈里,每天外出逛遍全城,察看城里的买卖,注意鱼价的变动,拜访朋友和买卖上的熟人。每天晚上他写信向合伙人芬洲汇报市场的行情,鱼价的涨落。而芬洲则写信告诉他湖口需要何种鱼,以及售价如何。

在福州住了大约一年,东林已习惯于那里的买卖人生活,做生意的技巧也更加熟悉了。由于他在收到湖口镇店里的款项方面常常遇到困难,有一天便对一阳谈起要同当地的钱庄建立联系。王一阳过去同两三家钱庄有往来,因此他陪东林去找一家叫做天济钱庄的办交涉。见到老板,王向他介绍了东林,并建议为东林代表的湖口店立个户头。老板打量着东林,年纪轻轻的,但看上去很有魄力。王同老板有多年交往,彼此非常信任。钱庄老板便痛快地答应了。同城市钱庄初次建立联系对于店铺未来的发展具有重要意义。

对地方钱庄稍加解释也许是必要的。这些钱庄未必有雄厚的资金。现代银行制度建立之前这类钱庄很多。他们发行自己的银票,面值1元、2元、5元,有时10元不等。在银票正面印着发行钱庄的名称,但票面金额空着留待发行钱庄的官员填写,以避免伪造。钱庄也为不同的商贾立户头,虽明明知道这些客户会透支存款。但这些贷款或借款在一定期限要归还,通常不超过两个星期。

由于同天济钱庄建立了联系,黄东林发现生意好做多了。从此他不再需要用现金向中亭街的鱼店订购鱼。他可以短期赊购,叫伙计把鱼运到货栈,无需再多费力气。鱼店在每个月同钱庄结两次账。

在这期间东林也必须对从货栈把鱼运到湖口做出安排。共有约20条帆船定期往返于湖口镇和福州城。每条帆船属于一户人家,他们世代以此为生计。帆船每每运送稻米沿闽江而下。

船主与湖口的店家是买卖上的合伙人。他们做生意要互为依赖。帆船每次航行要为商店运载货物,店主要做好下一次的安排,以便船主与他在福州城里的商店代表联系。

黄东林同另一阶层的人也开始了接触。这些人是搬运夫,他开始了解他们。在码头上,常有成百上千的搬运夫等候着,或者在福州的大街上不时走来走去,找寻临时工作。正是这些头戴竹笠、衣衫褴褛的苦力们把咸鱼从中亭街运到货栈,也是他们又把鱼从货栈运到预期沿江而上抵达湖口的帆船上。但这里是两伙苦力,他们各尽其责,决不互相竞争或干扰。每个团伙都有自己的势力范围。从鱼店将鱼运到货栈的苦力不能将鱼从货栈运到帆船上。一个团伙的成员对另一团伙的势力范围的任何侵犯都会引起殴斗。但这些苦力同诸如黄东林这样的商人之间的关系却与个人无涉,仅限于工作,这种关系在每天苦力的工钱付清之后便结束了。因此东林只知道他们是普通的劳工,从无更深入的了解。

多变的都市生活为东林的生活带来了进一步的变化。他几乎完全割断了同家庭、家乡的联系,虽然他还是姐夫张芬洲店里的合伙人和代理人,他变得越来越习惯于福州鱼商的生活,这种新的生活使他日益频繁出入于中亭街的鱼店、像天济字号这类钱庄;更多地同王一阳的熟人、船主、船老大,与吵吵嚷嚷的搬运夫打交道。怀乡病偶尔也转移一下他的思绪,使他想起翠绿的金鸡山下的农田和村庄,想起他童年时在祖父身旁走过的小路。但他每天绝大部分时间都忙于做生意和都市生活。贩鱼生意中的买进卖出、搬进运出、讨价还价和彼此协商对于他已是一种有条不紊的日常生活,他对此感到兴致勃勃,心满意足。每月两次当所有的鱼店同他结账时,东林便到天济钱庄去提款。他走到货栈把钱付给鱼店派来的伙计,了结账目。他坐在那里为自己还清了借款,为自己的生意日益兴盛而沾沾自喜。他感到,在顺流而下和逆流而上的源源不绝的咸鱼与稻米组成的溪流中,在他为偿清欠款,安排新的贷款,在买进卖出中获利以使商业正常运转并付出无穷的努力时,他获得了一种当一个人与他必须居住的世界相适应时所感受到的宽慰。

空闲时,东林常常同郑卢国一起出门,郑在城市里如鱼得水,非常活跃。一次他们到附近一处温泉洗澡。在若干因火山喷发而形成的温泉旁修建了浴室。这些浴室也是一种俱乐部,实际上是一种重要的社会组织。因为各色人等都到那里去洗温泉、谈生意。东林和卢国洗完澡,躺在长椅上休息,开始懒洋洋地闲聊。卢国看准机会对东林说他该成亲了。

"你该结婚了,"他说。"朝天村有我一个本家。他家有两位20上下的姑娘正待字闺中。"

"我听说过她们,但是在我认真考虑你的建议之前,要对她们的家庭情况多了解一些",东林回答道。

看到东林对郑家颇感兴趣,卢国便去打听消息,几天之后再次找到东林。

郑家姑娘的父亲是个农民,但读过点四书五经。除两个女儿之外,他还有三个儿子。那是个清白人家,既不富也不穷。大女儿最如意,聪明能干,老实孝顺。

东林说:"这正是我想娶的妻子。"

东林回到湖口之后,对郑家做了进一步了解。议婚之事快成定局时,东林回家去征求家里人意见。他必须征得他的叔父黄玉衡的同意,他现在是这一房长辈中仅存的男性。他还要征求母亲和兄长的同意。他们均没有不满,于是两家订亲了。

这几年东林时常往返于湖口和福州。有一次他乘渡船过江时,船停在位于闽江岸边、距湖口十英里的朝天村外。他同一位坐在旁边的同船老者闲聊,待船靠岸时他发现这位老人正是他未来的岳父。他不敢自我介绍,但老人偏偏问到东林的老家。得知后又进一步打听黄东林,使东林左右为难。照规矩一个年轻人成婚前不应同他未婚妻的家庭有什么往来,因此他不得不说黄东林是自己的兄弟。老人一听便立刻请东林到他家坐坐。进退维谷的东林还是拒绝了邀请。如果他说出自己的真实身份,他不接受邀请便是大大的不敬;如果他同意了,哪怕是隐瞒了真实身份,他也是无礼侵入了他未来妻子的家。

东林成亲时24岁,但他已证明自己是一个成熟的男子汉。他的新娘由自己挑选,婚事通过他同龄同辈的朋友安排,这一事实本身就使他的婚姻在村里与众不同。一般来说,都是一家之长主动提亲,订亲与成婚均由长辈安排。但自从他家的正式家长,兄长东明公开奚落他娶不到妻子,东林就决定自己来操持自己的婚事。他在买卖上的成功使长辈们认为他是个前程远大的人。

成亲之后,东林回到湖口原来的店里。鱼商和福州城店铺代表的职位由芬洲的长子茂魁接替。在店里东林主要负责卖鱼买米,而芬洲将绝大部分时间用于卖药、治病。他们不再卖酒和花生,而专营三宗货:鱼、米和药。当然,商业雇佣的人多了,有一个账房先生和一些伙计、学徒。

回到店里,东林常常给茂魁写信,告诉他自己在福州城几年间学到的经商之术。他喜欢抽空过街到卢国的店里去品茶。逢年过节,乡亲们四处走亲访友。东林仅仅提着两包过年礼物走出商店回家去。他又能同家人,同母亲、兄长、嫂子、妻子和侄儿侄女们一起进餐,他从一个有钱人的外部世界回家来了。

第二章　摆脱贫困

虽然东林已习惯于城里的生意人生活,他对家乡生活和兄长东明在农村的工作并非不闻不问。每逢年节或一些特殊的场合,合家团聚在桌旁,黄家兄弟总要谈起买卖和农活,他们还谈起季节性雨水与灌溉,筹划犁田锄地、播种收获和交租纳税。由于并未正式分家,店里的资本和现金收入、土地和粮食仍旧是全家的财产,归两兄弟共有。因此,两个年轻人对彼此的工作十分注意,一起为全家的利益盘算。

东林偶尔拿起锄头绕着田走,为他兄弟找水,就像所有农民在灌溉季节所必须做的。离家乡几年之后,他现在开始怀着一种至爱的心情看着葱茏的田野。林鸟啾啾、涧水潺潺,这是大自然的协奏曲。在一派宁静的气氛中他漫步在田间小路,远离喧嚣繁忙的市镇生活,他感到完全摆脱了心理上的负担。

黄氏兄弟虽然对土地有某种权利,然而他们是佃户。根据当地的土地租佃法,对土地的占有有不同类型。地主占有田地的"底盘"或"土地权",有权征收地租,他是土地的合法主人,他的名字要在政府注册,必须向政府交纳地租。但占有土地的人被乡里人称为"根的占有者",对土地具有永久的占有权。"根"这个字显然是意味着那一部分生长庄稼的土地。这样,他们被称为"自佃农"。但有时"根的占有者"也可能把他永久租种的土地出租给另一个农人,给他暂时的耕种权,二佃农因而必须向自佃农交租。

这种土地租佃制度在当地被称做"底-根租佃制"。拥有"底盘"的地主通常收取产品的一半算做地租。"根的占有者"得到收益的四分之一。实际劳作的农民只得到另外四分之一。但这种分配方法并非一成不变,往往有种种差别。理论上地主是唯一的纳税人,但有时租种土地的农人也被迫交税。租地农人交的税叫"小税",以别于地主交纳的"大税"。

黄氏兄弟那时是"自佃农",即同大部分乡亲一样,是自己耕种的租地农人。他们的地主住在古田城里和湖口镇上。收获季节,地主派管家到村里来征收实物地租。自从东林回湖口之后,每当地主管家来收租,东林便从店里赶回家,彬彬有礼并且很认真地款待他们。都市的熏陶使他的举止很为得体,他的谈吐与待人接物给管家留下了深刻的印象。收税人以前是那般刻薄,如今他们变得收敛多了。

在东林婚后的最初几年,命运为他安排的是安安稳稳的生活。他往返于商店和老家之间。商店的发迹激励着他,以至绝大部分时间都忙于做生意。他整日地讨价还价、精打细算、发号施令和不断地同别人谈话。然而,在繁忙的店铺里,他还是常常被添丁进口和活跃的家庭生活所吸引。生辰葬仪、年节假日、进香拜佛都成了他回家的借口。和家人在一起为他的生意注入了新的力量。家庭与商店、乡村与城镇、田园生活与商业事务,简言之,宁静与争斗的交替是东林所享受到的最好的平衡。

但是这种平稳的生活为时不久。黄家两兄弟不久就分家了。他们各起炉灶,只有母亲是连接这两家的纽带。这种新的安排为两家添加了负担。东林的妻子黄太太现在从早到晚终日操劳,操持家务,照管女儿和刚出世的儿子。

分家不到一年,东明突然患了重病。弟弟东林不得不抛开买卖回家,赶忙请来当大夫的姐夫张芬洲。他试了几副药毫不见效。但在他病了相当长一段时间后的一天,东明一下子把吃下的药全都吐了,说他感到复元了。他坐起来对围在床前的人讲述了他看到的幻景。

"我离开家来到地府,"他说,"才走到古田的城门,我遇到了拄着一根竹杖的祖父。他刚走到我身边,就举起竹杖迎头敲打我,让我立刻回家去。所以我现在还在人世,我是不会死的。"

三天之后东明的幻觉就成了事实。第四天他又躺倒了,静静地离开了人世。撇下了他的妻伯母林氏及两男两女四个孩子。长子时年仅11岁。

东明的葬礼很快安排了,他葬在死去的父亲身边。然而对死者的哀伤并未随葬礼而结束。盛年守寡的伯母林氏日夜啼哭,抱怨自己命苦,她的孩子随其左右,号啕大哭,虽然两个幼子甚至不明白为什么哭。东林的老母也泪流满面,但她是个很实际的人,长子死后,她对东林说的第一句话是要求他把新近分开的家重新合起来。东林明白也只有如此了,这不仅仅是责任问题,怜悯也要求他这样做。他无论如何也不忍心看自己的侄儿侄女,他父亲的直系后裔忍饥挨饿!

兄长之死当然也使东林本人深受震动,他的生活格局再次被硬性改变了。然而这次改变甚至比他祖父死时所承受的更大。重新合拢的家现在人口更多。东林承受了比以往任何时候都大的责任。他是唯一的成年男子,三个女人、六个孩子,整整一大家人要靠他供养。

葬礼之后一回到家,东林就不得不将他家的土地租给二佃农,因为他本人无力耕种这些土地。他同二佃农以及地主双方都商定了安排。请记住像东林这样的"根的占有者"仅仅得到四分之一的土地收益。他们从家里的地租中得到的是如此之少。他看着饭桌旁一群嗷嗷待哺的孩子,怎样才能供养这一大家人呢!东林长叹一声说,"我只有两只手,还能干些什么呢?"

这个问题并未迟迟悬而未决。全家人都来应付这场变故。由于东林绝大部分时间都在镇上忙生意,祖母潘氏总揽家务。虽然头发灰白、皱纹满面,但她有吃苦耐劳的经历和勤俭持家的精神。她是个有条理的人,家务安排得很得当。家务活之外,她还和两个媳妇一起纺织。三个女人用瘠田上出产的麻织布。织成的麻布拿到市场上出售,聊补家用。

为了削减家务开支,伯母林氏按照当地一种旧俗将最小的女孩送给别人家做童养媳。所谓童养媳就是一个尚未达到婚龄的小姑娘被送到她要与之成婚的那个男孩家去养育。这种风俗在较为贫苦的村民之中非常普遍。

这家的女人想尽办法省钱。她们常到村子后面的山上砍柴、捡干枝枯叶烧火、拾猪粪当肥料,不随意浪费任何细小的东西。

有一天,祖母潘氏正在拾粪,东林的七岁小女,一个活泼可爱、笑眯眯的小姑娘跑到她跟前。小姑娘从口袋里掏出一块白色的糖块,这是她有生以来第一次得到这样的好吃的东西,所以舍不得吃、留着玩。祖母潘氏看到糖果便怒气冲冲。她跑到家里拿起一根竹篾片抽打她,问她糖的来历。黄太太对此一无所知。但伯母林氏站出来坦白说她在一只旧衣箱里发现了几个钱,就从一个碰巧到这儿来的小贩手里买了一块糖给小姑娘,也仅只一块。祖母潘氏哪里会信？她很清楚家里没有钱，所有的钱都投到店里去了。她认为儿媳妇们是用家里买米的钱买了糖。祖母暴跳如雷，抽打两个女人和小姑娘。边打还一边嘟囔，说她守寡二十余年，从没有吃过一块糖。少妇们不再争辩，静静地挨打。

但小姑娘不堪忍受责打的疼痛，大哭大叫。一两个小时之后她浑身发抖，终于病倒了。三天之后，妇人们谁也没注意到她的病有多么重，这个迷人的小姑娘便死去了。黄太太紧紧抱着冰冷的小尸体，整整哭了一天一夜。这是她的头生女，那样甜蜜可爱，使她永生难忘。黄太太永远保留着对这个小生灵以及她挨打受疼的记忆：她一遍又一遍地对后来的孩子们讲起她的头生女。小姑娘成了这个家庭艰难时期的象征。

灾难接踵而至。过了一段时间，黄太太又生了一个女儿，但立刻送去做了童养媳。送走孩子，年轻的母亲便可以省下力气干活。当地习俗为减轻家务的操劳提供了这种手段，但这不是一个令人愉快的手段。必须记住的是送走的只是女孩，不论家里如何贫困，所有的男孩都由亲生父母养育。

几乎与此同时，东林得到了有关他最小的侄女，被家里送去当童养媳的另一个女孩的不幸消息。她未来的丈夫，邻近徐家的一个男孩在镇上当学徒。但是小侄女的公公婆婆即男孩的父母接连去世了。因此年仅六岁的小侄女被孤零零地留在世上。东林别无他法，只好派人把她接回家。到了家，小女孩断断续续地讲了她自己的处境。她说自己是"炉灶上水锅里的一把米"，她说得那么可怜，还带着徐家特有的一种方言腔。黄家老小爱抚地笑了，欢迎她回来。

这时期，东林一如既往照管着店里的买卖。他和芬洲租下了一片店。这是一座二层小楼,和他们的店只有一墙之隔。他们在墙上开了一道门,新买的小楼便同老店连成一体。他们把药材搬进新楼。现在那里由芬洲主管,他开始向姚云生传授医疗知识。

东林对家务也重新做了安排。两个侄子均已十余岁,都想仿效身为一家之主的叔父。大侄儿最机灵,他常常小声甜甜地对叔父说,"我长大以后要挣钱帮助你。叔叔,你为我们做了那么多事,我要报答你的养育之恩。"然而如我们以后要看到的,日后的情形全然不同,这男孩变成了叔父东林不共戴天的仇人。

由于两个侄儿还小,干不了全部农活,东林于是雇了个叫南明的长工。他现在把家里的地从二佃农手里收回来交给南明耕种。乡里人种庄稼通常互相帮工,彼此合作以工抵工。真正雇工的人很少。然而南明是领取现金的长工,一年挣四五十块钱。他在主人家吃住,使用主人的工具。南明四十多岁,是黄家的远房亲戚,但东林称他叔父。因此南明被当作本家人,受到尊重。

兄长死后大约十年,东林才使自己的生活重上轨道。人们说一个人的"风水"即机遇的力量是无法控制的,这决定人的发达或潦倒,也许并不错。但我们必须考虑人本身,考虑使他同人交往并决定他这样做或那样做的生活的圈子。家庭就是这样一种生活圈子,是围绕着一个由习俗、责任、感情和欲望所精心平衡的人编织的强有力的网。抽掉家庭的一员,扯断他同其他人、其他人同他维系在一起的纽带,家庭便面临危机。东林及其家庭正是处在这种境地。打击接连而至,震撼了他们的生活圈子,几至崩溃。孩子们挨饿,不得不将家里的土地出租,把小姑娘送给别人家,窘迫无比的家庭经济,小女之死等,这都是粗暴地动摇他们生活模式的不断的变故。

也许这一切都由"风水"所支配。但人类生活中存在一种尚不受风水控制的弹性,当危机使一些纽带松弛、失效时,生活的圈子中还会有其他一些纽带开始充分发挥作用。东林家的情形便是如此。并非东林生活的所有纽带都卷入了这些危机,没有卷入的逐渐开始使他重新振作起来,并为他的家庭生活建立一个新的模式。

自从东林和芬洲增加了咸鱼和稻米买卖,这店铺便日益兴旺。它成为顺流而下的稻米和逆流而上的咸鱼的交易场所。这是一桩忙忙碌碌、永不停顿的买卖。它使当地产品由村庄流入乡镇,再从乡镇流入都市,使城市的商品经乡镇涌入乡村。在他们变得应付自如的生意中,东林和芬洲两位姻兄弟开始积攒了越来越多的钱。

黄家从此又过上了富足安宁的日子。当时,东林的第四个儿子刚刚出世,由于他排行最小,所以被称为小哥。后来这成了他的大号。家庭的习惯是所有同辈的男性按排行称呼,同辈中最年幼的小哥又叫六哥。"哥"是同辈兄弟和堂兄弟之间的共同称呼。因此六哥的两位最年长的堂兄,东明的儿子被称为大哥和二哥,其余是三哥、四哥、五哥,都是他的兄长。

当小弟快落生时,老祖母派南明到湖口镇去,但东林没有回家,只派他的长子,正在镇上一家私塾念书的三哥赶回来。三哥要在出生仪式上充当父亲的角色。

三哥先到镇西边拜陈靖姑庙,从那里捧回一个香烟缭绕的香炉。回家的路上,三哥撑开雨伞护住香炉,因为人们认为里面住着临水陈太后的神灵。回到家,他把香炉捧进母亲的卧房,助产的接生婆已经来了。陈太后的香炉刚一捧进屋,婴儿便呱呱出世了。

黄家的新成员小哥一降生,伯母林氏立刻下厨房准备蛋和面,以便家里每一个人都能吃上一碗面条和一个鸡蛋以示庆祝。所有闻讯前来的亲朋好友也都要吃上一碗面条和一个鸡蛋。面条表示长寿,鸡蛋象征安宁。鸡蛋被染成红色,这是代表喜庆的颜色。

出生的第三天,要为新生儿洗第一次澡,这也是一种礼仪。仪式由祖母潘氏主持,其他妇女也来帮忙。她坐在浴盆旁,举起一个红蛋绕着小家伙的头转三圈。她边做边唱起一首儿歌,祈祷小小的脑瓜长得像鸡蛋一样圆。

小哥长到一个月,要举行另一个仪式,被称为"办满月",为招待大家再次准备面条和红蛋。

这种场合,东林那个一出世便被送走的女儿也回家了。她现在已十多岁了,身材矮小、朴实胆怯。胆小是由于她当丫头住在婆家所致。她的弟弟们,四哥和五哥常常取笑她。她只是警告他们如果再这么干,当他们到她家时她就不会以兄弟之礼款待他们。这次,他们又取笑她,她转身搂着新生的婴儿说:"亲爱的小哥,我家只欢迎你一个人去做客,我会总是为你准备一大碗面条和两个圆圆的鸡蛋。"

很不幸,她的预言没有实现。一年之后,她的死讯传来。她死在婆家,死因不明,这就是东林二女儿的结局。她同姐姐一样命苦。但家人也一直将她记在心里。

过一岁生日,即"周岁"时,小哥被打扮得漂漂亮亮。在堂屋,她母亲黄太太把他搂在怀里,老祖母递过一个漆托盘,盘子里杂乱地放着许多小物件:印章、弓、箭、笔、砚、一叠纸、一块银圆、秤、几粒花生、一双筷子、一个红蛋,还有稻草和几件真物的小型复制品。小哥伸出小手,右手抓起毛笔,左手抓起一叠纸。于是房间里所有的围观者都齐声欢呼。他们知道这孩子现在的挑选预示着将成为一个伟大渊博的学者,能金榜题名。他们回忆起他父亲东林数十年前办周岁时曾抓起秤和银圆,预言确实应验了。因为东林长大成人后果真当了商人。

在诸如满月和周岁这类场合,孩子母亲的娘家起着重要的作用。但小哥的外婆家很不幸,不仅外祖父和外祖母已经去世,而且一场火灾把住的房子烧成灰烬,他的三个舅舅葬身火海,家中唯一的幸存者是这家的童养媳。她好不容易才逃脱火灾,现在,由于夫家无一人幸存,如果东林不是很精明地为她招了一个女婿,她就会被族人卖掉。东林因而保证了郑家有人延续香火。

这正是1911年辛亥革命爆发的时候,清政府垮台了,城里的动乱很快地波及乡镇和农村。这段时间的一天,一位村中长者突然警告大家说一帮"长毛子"来了,他们正向黄村进发,所以所有乡亲们必须逃进深山。黄太太背着小哥双手拉着四哥和五哥,踮着小脚尽快地从后门跑出去。但这一回是革命党而不是土匪,他们并不打家劫舍。乡里人还能回想起所谓"长毛子"是指1850至1864年的太平天国起义军。

闹革命时东林的长子三哥不在家。在镇上念了两年书之后,他同姑妈即东林的二姐住在一起。东林的二姐嫁给了一家姓王的。王家的堂兄王齐祥是个小学校长。三哥到他的学堂里念书。齐祥曾中过举人,正如我们要看到的,他后来在政治上很有一番作为。两年之后,三哥被叫回家来,东林要送他到位于福州南台岛上的一家教会学校——英华书院去读书,同芬洲的三儿子茂德在一起,此后六年,三哥便在那里上学。

此后不久,东林安排他的侄儿大哥的婚事。成婚的第二天清晨,大哥冲进叔父的卧房,要求将新娘送回家去。大哥说他作了试验证明新娘已不是处女。他说他的姐夫告诉他如何验证。后者是来参加婚礼的。东林被两个年轻人——大哥和他姐夫气坏了,责骂他们进行如此愚蠢的试验。当大哥继续争辩,证明自己有理时,新娘的房间里传出了可怕的叫声。伯母林氏发现新娘企图自杀,她实际上已经服毒了。女人们冲进屋去,想办法让她呕吐,不久新娘苏醒了,于是为自己的羞辱号啕大哭。

新娘修长的身材,容貌秀丽。她是个聪明的女人,处事圆满得体。后来大哥与她非常恩爱,但从此他们对恶作剧的姐夫记恨在心。

这期间东林利用年假去拜访叔父玉衡,商量埋葬祖父母的事宜。放置祖父母遗体的棺木存放在田间的一个小屋里,等候最后的葬礼。次日叔侄二人同一个风水先生一起看风水。他们找到一块地,风水先生把罗盘放在一座小山包上,从山顶望去,宽广的田地一览无遗。他解释说,这座小山像一只老鼠,鼠头伸进五谷丰收的田野。这种地势被称为"鼠朝食",选中这块宝地,子子孙孙便会兴旺发达。

根据占卜和地理构造挑选墓地是举行葬礼的必要步骤。因为乡里人对看风水的信赖是根深蒂固的。因此,东林一买下这块风水宝地,便全部用砖建造了一座 50 尺长、30 尺宽的坟墓。葬礼结束了,祖父母的遗骸终于躺在砖砌的墓穴中,他日后常常为自己给非常敬重的祖父选了一块好墓地而自豪。

把祖父母的遗骸入土一事在过去 20 年间一直困扰着东林,这不仅出于子孙的责任感。我们还记得东林幼年时如何与祖父形影不离,如今他可以看到老人在风水宝地里安息,这对他这个活着的人来说是多么宽慰呀!他感到如释重负,心境终归于平静。

然而时间的流逝不断地带来变化,一个人记得旧事越多,他积累的新经验也越多。东林对于长辈的义务只是他生活的一部分。他年纪越大,对于后代承担的责任越重。人类生活螺旋式发展,诸如我们在黄家简要了解到的出生、教育、成婚、死亡等等,是一些总是会使生活脱离常规的阶段。每一阶段引起一场危机,每场危机都激起变化,并伴随着一个把生活从偏离拉回到常规的仪式。

这时东林为店里的生意来到福州。他在那儿与朋友卢国重逢。两位朋友并排躺在那间他们曾来过的浴室里的长椅上。他们正在懒洋洋地闲聊,一位穿着蓝布长衫的算命先生走上前来,手里敲着牛角制的器物。卢国向算命先生打了个手势,后者不再敲打了。穿长衫的人搬了把椅子在他们身边坐下,卢国请东林报出自己的"八字",即出生年月日时辰,以便以此为据推断一个人的命运。

记下了东林的生辰八字,算命先生打开他那本神秘的书,沉思了一会,然后在一张红纸上写下几个词,便转向他的主顾说,"先生,如果您不介意,我毫不隐瞒地解释一下我所写的。"

"我们不在乎,请往下说吧!"

"咱们从头说起。"算命先生说,"我算定这位先生一生必定经过七灾八难。他还在襁褓中父亲就与世长辞,但他母亲十分长寿。十几岁上,他一定受够了孤独、争吵、不安和贫困之苦,还遇到了其他不少挫折。他刚刚时来运转,便又遇上了大难,可能是他家顶立门户的人死了,从此他开始被压上了更沉重的负担。

"目前,他必定在享受不断发达之乐,现在一定是个商人,整天忙于结账、赊款。当他在外忙生意时,他忠心耿耿的妻子帮他料理家务,因此他家诸事平安。他已经有了,或者将会生至少四个儿子,他们日后定能光宗耀祖。

"今后他的家事和生意定会兴旺发达,但五年之内必有大难。他可能会死于这场灾难。若并非如此,他也会被卷入麻烦之中、失掉大半家产。如果他能安度危机,他今后的日子便会像河面那般平静。"

算命先生走后,卢国和东林两位朋友对算命先生的预言付之一笑。命运真的会使东林面临险境吗?

第三章　打官司

　　随着时光的流逝,湖口店铺的合伙人,芬洲和东林两位姻兄弟积攒了不少钱。他们决定妥善利用这笔资金,自己盖新居。两兄弟和风水先生一起看遍黄村,想找一处适于盖房的好地方。他们从位于朝南的金鸡山低坡上的黄村出发,往西向龙头山方向寻找。龙头山好像一道西部屏障,护卫着这片谷地。河水和西路从黄村脚下经过,从东向西平行延伸,一段距离之后,开始在龙头山脚下分道扬镳。西路绕过山顶,笔直向西,而河水则流向西南,从下边绕过龙头山。当这支勘察队登上山顶,他们眼前是陡峭的山坡,他们也注意到在山脚下和河水转弯处之间有一块相当大的田地。风水先生放置好罗盘,定好方位,突然他高兴地叫起来,说他发现了一处风水宝地,称为"龙吐珠"。山当然代表龙,田地和庄稼代表珍珠,河水则是龙的唾液。

　　芬洲被这片好地方迷住了。他立刻瞒着东林从他家所在的陈洋村唤来劳力,命令他们在龙嘴正前方盖屋。当东林赶到现场,便立即意识到这样规划就没有余地另盖一所房子了。他失望极了,对姐夫芬洲的安排大为不满,但作为内弟却敢怒而不敢言。

　　满不高兴的东林只好重新物色一块地盖房。他终于在黄家右方找到了一块合适的地点。从这里向西南看去,可以清楚地望见芬洲选中的房基。

第三章 打官司

东林雇了匠人盖屋,并请族人来帮工。为了建造新房东林需要木材,正是由于木材之事东林再次遇到了麻烦。确实,这场争端的种子早在上一个世纪中叶他祖父在世时就种下了,而苦果如今却留给了东林。

东林现在住的房子面积相当大,住50个人还绰绰有余。这所房子是祖父盖的,但房子完工时祖父仅有一妻一女。因此,他邀请两位兄长及其家人同他住在一起。三兄弟一向和睦相处,一起下地,共同操持家务,但这一安排还是在日后引起纷争,困扰着孙子东林。

三兄弟也同他们的舅舅关系很好,他是欧氏的族长。舅舅常常到这所大屋来做客。欧家是个兴旺的大族,他们住在十英里外通商大道西路旁的欧庄。他们的宅居坐落在西侧,走过一座名为花桥的木桥便是。木桥下的河水流到湖口,并在那里与闽江相汇合。花桥是商道上的税卡,桥西大约有20个村庄,再加上湖口镇,形成了一个天然的文化群。他们将自己称为"下花桥"人,以区别于居住在上游村子里的"上花桥"人。但花桥两侧的人们由于通婚而多有亲戚关系。

东林祖父的母亲是欧家的女儿,而她的兄弟,正如我们所说,是一村之长,但他很喜欢自己的黄姓外甥。一天,他叫三兄弟到花桥边的山坡上种树,这本是欧家的土地。就舅父这一方面而言,当然是一番好意,他绝对不会想到这点儿林地日后会成为两家冲突的根源。

现在林地上的树木已经成材,东林希望用这些木材来盖新居。征得东林两位叔祖的后人中最年长的玉门和东千同意之后,东林计划前去砍树,他请东飞,一位一度离家的堂兄弟带领工人来做这件事。

但是当东飞领着工人们来到花桥边的山上开始伐树时,欧家突然冲出一帮人,声称树是他们的,决不许东飞砍树。

听到这个消息,东林又派了一些人上山,但对方的人数也增加了,再次试图阻止东飞。双方恶言恶语,很快就动起武来,在这场冲突中有数人受伤。

这场流血冲突后,当时成为族长的欧阿水纠集了一帮同族人,他们手握长柄大刀,在欧阿水率领下突然冲进东林的家。他们抓住东林,虽不敢伤害他,但炫耀武力,对他进行恫吓,不许东林再派人到林地去,宣称那片林地是欧家的财产。东林只身面对外人,据理力争,他同往常一样能言善辩、毫无惧色。然而他家的其他男人却躲起来了。欧阿水对他的辩解毫不理睬。只是威胁说如果他坚持这么干,就小心他的脑袋和家产。

林木争端发生时,欧家正值人丁兴旺,财源茂盛。东林祖父的舅舅,那个最初允许三个外甥在他的土地上种树的人共有四房子孙。这四房人的族长阿水既有钱又有势。他的族长的地位,他的家产和刚刚落成的新宅,这一切使他目空一切,他的族人也很崇拜他。当阿水听说东林也要盖新房,颇不高兴东林的出人头地。要知道,在乡村修建一座宽大的房舍会被视为显赫发达的标志。欧阿水看到一个他一贯鄙视的花生小贩能获得与自己不相上下的地位与声望,心中的不快便酿成了愤怒。

阿水认为他可以倚仗这一事实,即东林在财富、声誉、经验、年纪和家族的阵容都比他低一头,猜想东林会轻易地慑服于他的恐吓,这样他不久就能毫不费力地把树林据为己有。这分明是贪心财主惯用的伎俩。

第三章 打官司

然而欧阿水打错了算盘。东林没有让步,丝毫不示弱。威胁和冒犯使他又气又急。他诅咒说光天化日之下绝不应该发生这种事。他发誓人人都知道林木属于黄家,阿水的要求完全是不正当的、不诚实的。为了鸣不平,他决定打官司。东林将状子呈上古田县法院,于是开始了漫长而重要的诉讼程序,事情出现了新的转折。

东林十分急迫地呈送状子,山林争讼案在他的一生之中是个重要的环节。命运使东林与对手阿水直接交锋。老人傲慢,但富有经验;年轻人精力充沛,却失之莽撞。这是准备参加一场大赛的两个固执的对手。

东林面临生活中最为严峻的危机。地方官吏一发出初审传票,欧、黄两家都须派出代表前往法院。东林一方的辩护人是玉门、东千、玉衡和东林本人。审判很快见了分晓,阿水和他手下的三个人被判立即收监。但事实上,地方官只有在终审之后才有权逮捕他们。然而在穷乡僻壤,官员们执法不公,而百姓们,特别是农夫对法律更是一窍不通。腐败的地方官吏只是想吓唬一下当事人,以判入狱来敲诈勒索。

当欧家得知族人被关进监狱,全族惊恐万分。欧家所有男人聚在一起,发誓团结一致,坚持到底以保护族长。他们从以阿水为族长的四房人中聚敛钱财,试图使官司有新的改变。

这时,于东林有利的地方官卸任,一位新官吏接替了他。欧姓族人很快地呈送给他一份要求复审的状子。结局来得与前一次同样迅速。但这次释放了阿水和他的人,东林和叔父玉衡被抓进监狱。

东林心情沉重地走进牢房,在复审之前他一直避开亲属。当欧姓族人团结一致支持族长时，黄姓家族内部的裂痕日益扩大。另外两房的长辈玉门和东千害怕被牵连进不断激化的纠纷中，撤回诉讼，放弃了对那些树木的财产权。这两房人同欧家有亲戚关系，因为东千的女儿嫁给了阿水的一个侄孙，而阿水的一个女婿又是玉门的侄子。这个侄子依附于妻家，不断向他们报告黄家秘密策划的所有细节。因此东林发现自己被人抛弃、出卖了。只有叔父玉衡支持他。玉衡虽然贫困且年迈，却始终支持侄儿东林，所以同他一起进了监狱。

东林入狱对全家来说好似飞来横祸。祖母潘氏、伯母林氏和黄太太像是失去所依，号啕大哭。东林是家里唯一成年男子，一根顶梁柱，现在他却身陷囹圄。在乡下人的心目中，监狱便是通向阴间的中间站，下一道门便是阴曹地府了。

东林的侄儿大哥，当时是个莽撞的后生。他立即跑去找本地一位豪绅雷吾云。吾云是地方长官的顾问，据说他在政治上很有影响。大哥恳切地求吾云运用他的影响释放东林，并塞给他一些钱。雷吾云收下钱并答应尽力而为。然而谁也不知道他是否履行了诺言。当大哥再次找到雷吾云时，他仍像第一次那样满口答应，但东林依然被关在狱中。

还有一位年迈的舅父，徒步远道到监狱去探望东林。这位老者和其他人不同，他诚心诚意地去了三趟，这使东林重新振作起来。正是他不断地告诉东林外界的消息，并把东林的手函带回家里，对家里痛不欲生的女人们，尤其是舅父的妹妹即祖母潘氏是个很大的安慰。舅父是位善良而阅历丰富的农民，他尽了自己的一切力量。

我们一定不要忘记芬洲——东林的姐夫和生意上的合伙人。

有句老话"福无双降、祸不单行",真是千真万确!当东林关在监狱的时候,他的店铺也在劫难逃。一天半夜,一群土匪破门而入,抢走了钱柜里所有现金,店里的账房姚云生当时睡在柜台后面,也被绑架。现在芬洲发现自己要处理的麻烦事太多了:他必须在钱财被劫后重整旗鼓,又要想办法赎回他的账房姚云生。

听说丈夫在店里被土匪绑架,云生妻跑到东林家中,跪在黄家主妇、祖母潘氏面前,又伏在老太太怀里失声痛哭。早已为狱中的儿子忧心忡忡的老祖母,又因被绑走丈夫的年轻妇人的恸哭而备受压抑,她几乎感到自己要坠入无底的深渊。

不久以后,芬洲收到土匪的来信。他们自称为"黑钱党",说若不赎回云生,就将他枪毙。这时,芬洲派一位中人到土匪老巢去洽谈赎金与释放云生的事。土匪要的数目很大,店里绝大部分款项已因盖新居、打官司和土匪抢劫而搞得精光。芬洲无处筹集这笔钱,已是进退维谷。

面临绝境,真的走投无路了吗?如果真如此,东林、他的全家、他的店铺便注定离倾家荡产不远了。只有新的命运的转机才能化险为夷,使他们重新加以调整,必须以新的补偿力量来挽救他们失去平衡的生活。

这个新的力量不久就出现了。三哥正在福州英华书院上学,听到家里遇到不幸,他不能不赶回家乡,到狱中去探望父亲和叔祖,并商量如何向上级法院上诉。最后,他们决定向福建省省会福州的省最高法院上诉。

案子一转到省法院,就必须把各种文件从古田县转到省城。东林和玉衡按正常程序被送到福州受审,被告欧阿水及族人也被传到省城。法庭要求出示前两次审讯时的证据和对欧、黄两家争端的判决。

终审时原告和被告双方都声称有权占有花桥边山地上的树林。东林出示了证实自己合法权利的文件，他的主要证据是一份由他祖父的舅舅，当时欧姓族长所写的一份契约。声明将山地租给他的三位外甥——东林的祖父和两位叔祖，这份文件是1849年签署的，双方都加了印记。

以欧阿水为代表的被告争辩说东林的文件是伪造的。他们一口咬定在所示契约上签字的日期，据称曾立约的先祖事实上早已过世。为证实他的断言，阿水提出他家的族谱作为证据。据族谱记载，有争议的族长的死期是1846年，如果他的证据成立，那么立约者实际上在订立契约的三年前早已死了。

这样，判决便取决于确定这位双方共同的祖先的死期，一旦证实了真正的死期，契约的真伪便可确定。对于这个案子来说，东林十分幸运的是他能够找到一份补充证明，这份证据正好说明问题。这是一张土地转让契约，是由同一位立约人，欧家的族长签署的，他曾把土地卖给东林的祖父的一位堂兄弟。立约日期是1851年，即第一份契约签订的两年之后。这证明立约人在1849年同三位外甥签约时尚未去世。

现在关键在于契约本身的真伪。毫无疑问，土地的转让确有其事，最后又仔细检验了印章、签名、文体和纸张的质地后，证明两份契约都是真的，不可能是伪品。

这样，所有的证据都有利于东林，他终于赢了这场官司。阿水被判处罚款，此外，他输了官司，在乡里落得个威信扫地。

真金不怕火炼。同样，一个人在战胜了危难之后会变得更为坚强有力。东林的情形便是如此。他在沉闷的铁窗生活中，时常梦见自己被砍了头,灵魂被带到阴间,脑子里还总想着店铺倒闭和家破人亡。他在痛苦和哀伤中度日。

重获自由之后,东林并不后悔所发生的一切。他回想起那天他和卢国在浴室里算命先生的预言。他对朋友乡亲们说,他被捕入狱和为打官司破财都是命中注定的。这一切都是上苍早就安排好的。我们今天可以将"上苍"理解为人类本身,将"命运"理解为人类社会。然而无论他们会如何认为自己由命运或上天的所作所为所支配,东林和乡亲们却由于磨难和过错学会了如何安排自己的生活。

摆脱了监禁和诉讼的威胁,东林立即又着手安排买卖。第一步,他先向最初建立联系的天济钱庄借了一笔钱,用这笔钱先帮助芬洲从土匪手里赎回了账房云生。店铺当时已濒于破产,但东林的胜利争取到了过去的债主和顾客的信任,并使他建立了新的关系。

东林的名气越来越大。因为村民、族人和过客都在黄村的茶馆里闲聊他的新居和他在这场官司中的胜利。东林年迈的叔父玉衡曾同他一起坐牢,他是这场官司最好的宣讲人。玉衡是个有学问的农人,他能够坐在茶馆里连续几个小时详细描绘东林和他如何在法官面前据理力争,打败了对手。他讲了一遍又一遍,但听众都瞪着眼睛百听不厌。

东林终于得到了他需要的木材,他的新居落成了。这是到目前为止乡里最宽绰的房舍。但在迁进新居之前,他必须为此而选择一个吉日良辰。

最后选定的日子到了。清早,太阳刚刚升起,东林家的老老少少便都准备就绪,个个穿得整整齐齐。他们像游行一样整齐列队,一个接一个地走出最初由东林的祖父修建的老屋的正门。然而他们没有直接走向新屋,而是沿着下面穿过黄村的交通要道——西路绕了一大圈。列队行走不仅是向乡里人炫耀,也是因为这条大道被认为是这类盛大喜庆仪式的最合适的场合。

队列庄严地缓缓而行,东林作为一家之主走在最前面。东林手里拿着一杆长长的秤和秤砣,这象征着能用来称米、收租;祖母潘氏紧随其后,手捧一只香炉,象征家庭香火绵延不绝。再后面是大哥和二哥,东林的两位侄儿,他俩肩扛犁锄,这是最主要的农具,是耕种的象征。三哥手捧古书,四哥拿着打官司的法律文件,五哥捧着文房四宝,即笔、墨、纸和砚。年仅六岁的小哥用小扁担挑着一对小小的红灯笼。黄太太背着名叫珠妹的小女儿,手里拿着用于节日庆典的银酒壶和酒杯。她的妯娌林氏跟在后面,端着一口大锅,这是食物的象征。再后面是大哥的妻子大嫂,她背着小儿子少台,手里捧着一个梳妆匣。这是用来盛女人用贵重饰物的盒子。家里的长工南明走在队尾,他扛着一支老式长枪,像是在保卫着行进的队伍。

旁观的人大多是黄村的乡亲们,人们迎接东林一家人,有些人还兴奋地大声喝彩。队伍刚一到达新居门口,立即响起了噼噼啪啪的鞭炮声,以示欢迎。一大群笑盈盈的孩子簇拥着这支行进的队伍走进他们的新居。

东林的房子建在一处平缓的坡地上,这块坡地已被平整为由低向高的三层平台。每一层都由土坯砌成的高墙围成一块平台,外墙抹上了白色。这座房舍与众不同的一点是它有两个设防用的塔楼。一个位于前面一道墙的左角,另一个在后墙的右角上。这两座塔楼可以防备土匪。万一受到袭击也有保护房屋的作用,因

第三章 打官司

为塔楼的墙上每隔几排砖就凿有一个很小的枪眼。

要是有人想走进房子里面,他必须先跨进通往前面平台的大门槛,围墙中央是一个很大的天井,房间排列在两边,这是书房和客房。一条由石板铺的小路穿过开阔的院子,石径的尽头是个十层石阶,向上通到第二层平台上的正厅。

这是新居最主要和最重要的部分。在正厅两侧,有两排木构厢房。从道理上讲,这座房屋被认为是分属于东林和他死去的兄长东明。按照惯例,兄长位于左、弟弟在右,因此,当黄家搬入新居时,东明的长子大哥占了左边最上方的厢房,同妻子、子女住在那里。第二套厢房以后要归二哥,现在是他和母亲林氏住。东林一家住正厅右边的两套厢房。祖母潘氏住后面一间厢房,同她疼爱的儿媳黄太太共用。

在最主要的平台上,有一些边门,木梯可通向二楼上的仓房。二楼同第二层或最后一层平台等高,这个平台上是厨房和餐厅。也有边门通向第三层平台,这些门由二十多级陡直的石级从后平台通到下面第二层平台上的客厅。

自从东林的祖先在村里定居下来,从未见过像东林的新居这样宽敞宏大的建筑。由于东林自己的创建超过了自己的祖先,甚至超过了备受尊敬的自己的祖父,每逢想起早年的艰辛,为做生意赚钱而奋斗以及遇到打官司的飞来横祸,东林便会久久注视着这座新居,一种胜利者的微笑便油然而生。

第四章 张家新居

在东林迁入新居之前,她姐夫张芬洲在"龙吐珠"的新居就已竣工。张家的新居与东林家很相像,只是它盖在平地上,没有从低向高的三层平台。然而张家的新居也包括三部分:前内院、主要居室和厨房。其后有一块两边高墙环绕后面敞开的园地,这样安排是遵照风水先生的劝告:陡坡形成的天然屏障敞开一个口,以便接受上面龙嘴里吐出的珍珠。

芬洲现已50多岁。他身材细长,骨瘦如柴,方脸,他那深陷的黑眼睛,看上去阴郁而吓人。他是医生,身着灰白色长衫,走起路来颇斯文,他的腰杆笔直,喜欢戴一顶顶端有红钮子的"瓜皮帽",手里总拿着一支两尺长的烟袋,烟嘴是假玉的。

大约从20余岁起,芬洲就开始在上下花桥一带行医,他的医道是祖传。很久以前,当东林的祖父第一次见到芬洲时,老人就为这个斯文后生所吸引。他态度认真,专心医术,于是便安排了他同老人的孙女、东林大姐的婚事。

虽说芬洲精于医道,却无法以此养家。他精明又有远见,似乎总是能先别人一步预料未来。正是他注意到湖口镇上日益兴盛的商业,向东林建议在镇上开一爿店。二人合伙经营,店铺甚是兴隆。芬洲勤于思考、洞悉未来。是他分析了行情及其趋势。由更为精力充沛、更为强有力的东林来贯彻他们的计划。两位姻兄弟

第四章 张家新居

善于非常协调地工作,他们制订计划,安排生意,聚敛钱财,置地盖房,一直和睦相处。

20年来,芬洲同东林始终亲密无间地经营着店铺。盖新居时,芬洲独占了那块风水宝地,而不与东林分享,这是芬洲第一次表现出他的自私自利。

芬洲住进了新居。有一天,他正独自在前庭读书,一个人走进来问候他。这个人原来是芬洲的堂侄张茂恒,他一度离家外出。茂恒是位读书人,曾在王村小学里念过几年,受教于王齐祥。他也与王一阳、王立阳兄弟相识。离开古田县城七里地的王家居住在西路旁,他家是大户,族人多达数百口。按照居住地分为上王家和下王家。小学校长王齐祥属上王家。我们还记得,他是三哥的老师。而一阳和立阳两兄弟则属于下王家。一阳是东林的老朋友,他将东林介绍给福州的店家和天济钱庄。王氏兄弟住在两间毗邻的大屋里,立阳在右,一阳在左。他们在湖口开店铺赚钱,已是村中首富。

茂恒刚刚拜访过王家兄弟。他将一个红信封交给叔父芬洲,红信封里装着一张帖子。那是立阳本人、他的父亲和祖父以及女儿惠兰的生辰"八字",这是提亲的第一步。茂恒是来张家做媒的,因为他与男女双方家庭都沾亲带故。

芬洲收下红帖,就放在堂屋里一张大桌上,供奉祖先牌位的香炉下面。他这是为了征求祖上对前来提亲的女孩子和他三儿子茂德之间婚事的"意见"。茂德现在是福州英华书院的学生。很幸运,整整三天过去了,没有任何不吉利的兆头,家里既没有打碎碗碟,室外没有乌鸦叫,族人没有发生纠纷。所有这些迹象都使芬洲认为祖上会同意结下这姻缘。

接着芬洲拿着惠兰姑娘和他儿子茂德的生辰八字去找算命先生,再次算一算两个人的命是否相合。虽说茂德生在猪年,而惠兰生于虎年,但猪虎从不相争。算卦的结果令人满意。随后芬洲也派人送去一个类似的红帖,红帖上是茂德的姓名和生辰八字以及他的三位直系祖先的名字。王家也同样推敲了未来女婿的生辰八字。

对两家来说,这门亲事都是一桩大事。这些征兆的考虑只是一个方面。还要考虑两家的门第是否相当。芬洲与立阳都是商人,两家大体上门当户对,又因茂恒是双方的亲朋好友,亲事很容易谈妥。

然而在订亲之前,媒人茂恒要多次往来于两家,必须最细致地商定女方的嫁妆和男方的聘金。芬洲先在一张红纸上拟出一张清单,由茂恒交给立阳,由立阳加以增删、修改,再将清单送回,这样就达成了成婚的最后协议。

此后,便是选定吉日举行订婚仪式,直到这一天,才通知茂德,把他从学校叫回家。

订婚这天,张家住宅打扫得干干净净,张灯结彩,张贴着应景的诗句和对联。前内院大宴宾客的餐桌上铺着红色桌布,所有亲朋好友都来参加喜宴,大家举杯为主人祝福,也互相敬酒。

当地称订婚为"交换大帖",因为新郎家要用"男帖"同新娘家交换"女帖"。男帖和女帖都是红色的。上面用规定的文体写着祝福的吉祥祝词。媒人茂恒负责换帖,并祝福双方家长。

茂恒也按照双方商定的数目,把一半彩礼送到新娘家。他同四位挑夫一同前往,由挑夫搬运这些彩礼到女家。

茂恒和4位挑夫一到立阳家门前,就响起了震耳欲聋的鞭炮声,以示欢迎。喜宴与庆典开始了,面条、水果、糕点和专为宴会准备的粽子在门前分发给助兴的人们。

庆典结束后,就算新郎新娘家已结亲,但他们仍须避免彼此往来,双方家长和未婚夫妻都还不允许直接交往。

一年过去了,芬洲又请来茂恒,这次要商定结婚日期,并再次把彩礼送到女家。这一部分彩礼被称为第二次聘礼,以区别于订婚时送去的第一次聘礼。这份彩礼主要包括丝绸和其他为新娘置办的衣服料子。

一旦确定婚期,便立即将喜饼送到女家。喜饼的分量多寡是按照订亲前商定的,要仔细称量。喜饼确实是必不可少,因而有钱人家往往坚持要很多喜饼而不多要彩礼。这种喜饼是一种加上糖和猪肉末的米饼,三寸见方,半寸厚。王家把所有喜饼分送亲朋好友、左邻右舍。他们回赠给新娘惠兰耳环、手镯、衣服、鞋、发夹、饰针、梳妆匣以及其他装饰品添在她的嫁妆里。生平第一次惠兰可以把头发盘在头上,而不再梳辫子。因为她现在完全可以自认为是新娘了。

婚期越来越近,村里的准备工作也越来越多。婚礼前一周,亲戚们就从四面八方来到张家住下。他们分头送喜帖、收贺礼、登记在册、请乐师、雇轿子并装饰新房。

芬洲派去20名工人到王家,运送新娘的嫁妆。嫁妆有四个又高又大的衣箱、四个皮箱、两个竹箱、两个木箱,两套桌椅、一个盆架、一个衣架、两大两小四个梳妆盒,这些箱子、盒子里装有许许多多物件:针线、别针、绳、丝带、棉毛料子、手镯、坠饰、项链、耳环、戒指、发夹、胸针、窗帘钩、漆盘、漆瓶、钟、镜子、铜镜、烛台、纱线、薄纱衣料、丝绸、呢绒、流苏、鞋和各式服装。最后是男方送的聘金,装在红包中,放在一只梳妆匣里。

在嫁妆抬出王家之前,他们在堂屋的地上放了一个点燃的火盆,全家聚拢来举行"筛鬼"的仪式。嫁妆要一件一件地从火上抬过,仪式是由两位专门请来的伴娘主持。她们嘴里叨念着:"把千千万万个恶鬼漏下,留下金银和珠宝",同时嫁妆依次抬过火盆。

在新郎所在的村里,张家已准备好一间新房,嫁妆最后要抬到这里。干净的新房里有一张大木床,木床的三面是上了漆的床围,床围上画着五颜六色的传奇图案。由于祖母潘氏儿孙满堂,她被认为是一个有福气的人,于是请她来主持安置新床的仪式。她走进新房,在床的上方挂起一个红帘子,再把一个母芋头带着小芋头放在床下,母芋头在中央,小芋头紧紧围在母芋头四周,这是多子多福的象征。在这个偏远的地方,芋头是最重要的食物之一。随后她把一些稻秸和五枚铜钱放在床上,意味着多产和富有。她吩咐别人把一对写着"百子"和"千孙"的灯笼挂在帐钩上。最后她指点人们把几个小男孩抱到新床上睡一会儿,于是多生子孙的仪式便告结束。

婚礼前夕,张家派了一队人马把轿子抬到王村接新娘。四名轿夫抬着轿子,吹吹打打的鼓乐班子随其左右。张家的男人们拿着耀眼的红旗和五颜六色的长柄灯笼,挑着一筐筐为新娘家喜宴准备的食品。一只筐里装着一只公鸡、一只母鸡,作为一个仪式,新娘家将只收下公鸡,送回母鸡,这标志着他们未来的希望。在队伍的后面,10名男子手擎着燃烧的火炬,以备天黑尚到不了目的地。队伍每到一个村庄,便燃放三长串爆竹,紧接着鼓乐齐鸣,以吸引所有旁观者的注意。队伍由身穿蓝长衫、黑短袄、头戴瓜皮帽的媒人茂恒率领。晚上八点钟队伍才到达王家,男方宾客要被挽留过夜,照例要被款待一番。

次日清早,始行婚礼。惠兰很早就起身了,做了礼仪性的沐浴。她的浴盆里放进三件东西:早稻的稻秸、大麦和蒜头。早稻秸象征早生贵子,大麦表示改掉新娘的坏脾气,蒜头意味着未来的兴旺发达、万事如意。沐浴之后,伴娘帮助新娘穿上结婚礼服。像嫁妆一样,每件衣服和首饰都要履行过火的仪式。雇来的伴娘把惠兰的头发梳理成髻,缠过的一双小脚穿上红颜色的鞋子。

惠兰是个漂亮迷人的19岁少女,她胆子大,有些早熟,她是家里的独生女,似乎有点被父母宠坏了。她不时地发脾气、摔碎东西,别人家的新嫁娘成亲前总是哭个不停,惠兰却不以为然。当母亲劝她到张家要改掉坏脾气时,惠兰却草草地回答说不要为她担心。

惠兰穿好结婚礼服,她父亲立阳就把她从闺房领到堂屋,那里早已挤满了准备送亲的亲戚们。父亲叫女儿踏在一个放在地面上的竹筛上。从道理上讲,他必须真正把新娘背到同夫家亲属会面的地方,这个仪式是说新娘不能双脚着地,以免她家的风水被她带到她要过门的夫家。这时惠兰跪下向父母谢恩,并为自己离家而哭泣。父亲为她戴上头饰,母亲把一朵可爱的小花插在她头顶。惠兰转身面向祖宗牌位,向祖宗叩头辞别。

王家的堂屋挤满了闹闹嚷嚷的人群。仪式的中心人物惠兰脚不沾地地从一个个竹筛上走过,并依次向每一位亲朋好友致意。惠兰不是传统的旧式村姑,她时常自编民谣以表达她对各位亲友的爱憎,但惠兰能忠实地担负起自己的责任。

在惠兰就要出门上轿之前,尚有几项附带的礼仪。首先是一位伴娘点燃一块麻布,这是一种迷信,代表对死亡的警惕,因为麻布通常用于服丧。随后扶一个男婴在轿子上坐一下,也是希望早生贵子。最后要点燃火炬,绕着轿子转三圈,以便驱逐各种鬼怪。

当父亲立阳把女儿扶进轿,鼓乐班子立刻开始演奏。轿子是四面严严实实的一个立箱,只有一面可以打开。门一关,新娘便完全坐在黑暗中。轿子外面用五彩的帘子、绢花、流苏和刺绣装饰得异常华美。轿顶是一个花团锦簇的尖顶。伴娘一关上轿门,惠兰母亲便将早稻米和大麦向轿顶撒去。然后轿夫抬起轿子启程。轿后忽然抛出一只筷子,象征一支驱赶魔鬼的利箭。

这样,新娘的轿子终于抬出了王家。在晴朗天气,王家的年轻男子举着火把,伴随着前日来到王家的队伍,除了新娘和两位护在轿旁的伴娘,队伍里还有之前张家派来的人。

黄昏时分,新娘一行到达张家。芬洲的两位侄儿茂月和茂桥手擎长柄大红灯笼在半路迎候,噼噼啪啪的鞭炮声不绝于耳。在乐曲伴奏下迎送亲的队伍在一群人簇拥下,和新娘的轿子慢慢地走进了新郎家的堂屋。

婚礼中最隆重的仪式开始了。新娘是引人注目的中心。所有人都围在花轿边。伴娘艰难地为东林妻黄太太打开了一条路走到轿前,黄太太荣幸地为新娘打开轿门,小儿子六哥走上前来向新娘鞠躬,并捧给她一面镜子,正式请她下轿。新娘把一个"五福袋"赠给小哥。袋子里是五种果子:花生、红枣、榛子、瓜子和干龙眼。这五种果子称为"五子",是婚姻幸福的象征。按当地话来说花生叫"生子",红枣叫"早子",榛子叫"增子",瓜子叫"多子",龙眼被称为"龙子"。

伴娘搀扶惠兰迈出花轿,她戴的头冠上的盖头一直垂到肩上,因而什么也看不见。人们领着她走上一块红地毯,边走边唱起押韵的诗句:"站在大厅中央的新娘,会带给大家幸福、长寿、财宝和欢畅"。

无比荣耀的黄太太领着新娘把一对龙凤蜡烛点燃后进入洞房。身穿蓝长衫黑短褂的新郎茂德早已坐在新床左边。他四方脸、肤色黝黑,是个英俊青年。他笑起来的时候,露出一排闪闪发亮的金牙。虽然他在城里受教育,学了很多新思想,但他并不反对父亲替他包办婚事。他像个十足的冒险家,火烧火燎地急于一睹新娘的芳容,看她是丑还是美。新娘被领到床右边坐下,她仍然蒙着盖头,脸是看不到的。现在他的身边坐着他的终身伴侣,而他对她却一无所知,据说在这个长达一刻钟长的并肩坐仪式中,如果新娘坐在新郎长袍的边上,新郎便会成为一个惧内的丈夫。有时,一位大胆的新郎会用自己的长衫下摆悄悄地压在新娘的裙上,希望这样就能使她听命于他。但茂德当然不信这种无稽之谈,他只是坐在那里沉思。

外面堂屋里的人正等着看结婚仪式最庄严的部分。这时,荣耀的黄太太领着新郎新娘走出洞房,让他们站在一张面向门外的供桌后面,新郎在左,新娘在右。司仪姚云生走出来对他们说:"跪下",新郎新娘便遵命下跪;"叩头",二人又一同额头叩地三次;"起立",他们站起身,拜了天地。然后转身向内,新郎和新娘按照相同的方式拜了张家祖先的牌位。最后他们面对面地互相鞠躬。在整个婚礼过程中,新娘一直由伴娘扶着,旁观者中不时爆发出喝彩声。鼓乐班的奏乐、伴娘的歌声、司仪的高声喧叫和人群的欢呼声连成一片,形成了一派喜庆的气氛。

最后新郎和新娘又回到洞房,伴娘关上房门,把喧闹的人群隔绝在外。现在开始举行新婚夫妇私下焦急而渴望的仪式,当新娘照吩咐下跪后,茂德便立即前去揭开新娘的盖头,他颤抖的手揭开盖头时心扑通直跳,然而仅仅一瞥已看清了新娘迷人的容貌。身穿结婚礼服的惠兰如满月般美丽。茂德真是个幸运儿,他已完全忘记了下一步该做什么,直到伴娘提醒他必须从新娘头上取下头冠。当他举行这一仪式时,伴娘们不断重复着合辙押韵的诗句:

举起新娘的头冠,幸运将在酒杯中斟满,

举起新娘的头冠,让新郎买下田地、谷仓和房产,

放下新娘的头冠,有朝一日金银珠宝满盘!

这些话茂德一句也没有听见,他现在全神贯注于他的新娘,欣赏她的美貌,嗅着她身上散的芳香,他真的充满了无以言状的喜悦。

然后伴娘们把惠兰扶到一块布帘后面,让她脱下结婚礼服,换上一件时髦的印花旗袍,新郎站在一个小红桌前等候着。桌上按传统方式摆着十碟精美的菜肴、一壶酒、两只酒杯和两碗米饭。下一个仪式便是新郎新娘一同进餐。惠兰和茂德面对面坐在桌旁,一位伴娘把酒斟到扎红丝带的酒杯里,另一位伴娘拿起一杯酒,让茂德喝了一半,另一半留给惠兰。另一杯则先给新娘后给新郎,这样茂德和惠兰交替着喝了六次。

惠兰的眼睛一直盯着地面,强忍着不笑出来,喝交杯酒的过程中,她乘机瞟了新郎一眼:"啊,他真漂亮!"她感到非常高兴,微微一笑,这是丈夫和妻子互相了解的开端。

然后举行了一个简短的祭灶仪式,新郎和新娘拜灶神,因为厨房是新娘的重要活动场所,很快地她就必须为夫家所有人做饭。

在举行仪式的时候,客人们越聚越多。男人们在书房、前内院的房间和堂屋里受到招待,女人们则被领到后厅和内厢房。新郎

的父母忙着接待客人,每一位客人不是向新郎本人,而是向新郎的父母祝贺。

堂屋已安排就绪,新郎和新娘能出来当着众宾客的面拜见张家的长辈。在一张供奉祖宗牌位的大桌前,并排摆着两张红毡铺垫的扶手椅,地上铺深红的地毯。新郎在左,新娘在右。两人向里面朝扶手椅站着。当二人站好之后,人群中一阵骚动,因为众人都想目睹第一次揭下盖头的新娘的风采。前排宾客告诉后面的人新娘如何迷人,人群中响起清晰的赞叹声,表示对新娘的赞美。

不一会,新郎的父母芬洲和张太太走了出来,他们从头到脚都是婚礼上的喜庆装束。二人分坐两张扶手椅,芬洲在左,面向儿子;张太太在右,面对新娘。新郎新娘向父母行礼时,新郎的父母正襟危坐,面带笑容,非常骄傲。三拜九叩之后,这两老夫妇站起身,退了出去,在这之前他们给新婚夫妻留下一件包裹在红纸中的礼物。下面要拜的是茂魁和他的太太,第三位轮到的是茂衡和他的太太。茂魁和茂衡是新郎茂德的兄长,拜完张家所有的成员之后,依次拜张家所有年长的亲戚。这个仪式极费时间,一直持续到深夜。

此后摆上宴席,堂屋中备了四桌席,前内院有六桌,后厅为女士们摆了五桌。席间,酒过三巡之后,鞭炮齐鸣。新郎跪在堂屋中央,向所有宾客叩头,感谢他们出席婚礼。酒宴进行中,新郎新娘双双向客人敬酒。

绝大部分宾客在宴会后即告辞,只有几个小伙子按照习俗要冲进新房去"闹洞房"。他们的目的是用各种名堂以使新娘发笑,新郎新娘不时感到处于甜蜜的窘迫之中。他们久久不肯离去,直到新娘拿了手帕当礼物,才不得不告辞。

新娘和新郎终于能够幸福而疲倦地单独相处了。茂德问新娘："你感觉怎么样？"惠兰把脸躲在帐子后面，羞怯不语。面带笑容的伴娘们最后一次走进洞房，她们为新郎送来"好运布"，这是一块粉色绸方巾，要在翌日拿出，这是一种传统的方法，用以检验新娘是否是处女。伴娘得到赏钱后便离去，这时一对年轻夫妇才能单独待在一起。

第二天还要举行一些仪式。惠兰的小弟王齐昆来到张家，随他抬来两乘普通的轿子请姐姐和新女婿同他一起回王家去。在新娘家也有一些仪式要举行。立阳合乎礼仪地接待了新女婿，请他品尝了一种特制茶，要喝三遍，还要抽一种不寻常的烟。

茂德和惠兰拜了王家的祖宗。他们又重复了一遍跪下向家人亲友叩头的仪式，不过这次拜的是王家的亲属。这一天他们收下的一切礼物都将成为他们的私产，因为只有从今日始才首次有资格握有私人财物，之前一切财物则归父母所有。婚礼这一天是最重要的时刻，新娘带来的嫁妆、家具和钱财为新郎新娘的小家庭奠定了物质基础。

随后一段时日，茂德和惠兰在王家享受着很多欢乐与聚会，度过了他们有生以来最惬意的时光。作为一个英俊开朗、举止文雅，受过良好教育的青年，茂德很讨岳父岳母的欢喜。然后，新婚夫妇再次回到张家住下。芬洲叫茂德不要回学校去，待在家里帮助料理事务，茂德也高兴地应允了。

茂德的婚事办了，张家的生活又纳入常规。茂魁返回福州为店里购买咸鱼，芬洲则往返于湖口店铺和新居之间，家里的田由芬洲的二儿子茂衡和长工培明耕种。

芬洲在生活中通过行医，又同东林合伙开店做生意，建造新居,最后,也是最重要的是通过儿子的婚事与王家联姻。已逐渐建立起来的交际圈子中现在又增添了新的一环。芬洲和东林的社会关系现在同样广泛、牢固和有生气,也同样受到人们的敬重,两个圈子紧密交错。然后,这两个家会日益分道扬镳,走向不同的结局吗?

第五章 早期教育

一天东林正在柜台边坐着,从门外走进来一位老先生,东林发现他走路时拄着拐杖。他是一位在镇上很有影响的先生,名叫吴颂南。东林站起身来迎接他,有礼貌地请他坐下。

"吴老叔,今天是哪阵风把您吹来了?"东林问道。说着给这位老先生递过水烟袋。

"东林兄,我等了好长时间才来祝贺你",颂南说,"你现在是镇上最重要的人了。"

"哪里,我哪有那么大的福分,老叔,您过奖了。"

两人一边寒暄,一边坐下来商量店铺的买卖。这时芬洲正从药店回来,看到颂南在这儿,他马上给颂南倒了一杯茶,表示对他的敬意。颂南对两位合作者成功地经营商店并建新居十分钦佩,特别是就未能参加茂德的婚礼向芬洲表示歉意。他说,听说那是一个盛大的、壮观的场面。

颂南告诉他们他请了一名教师,正在办一所小学校,希望他们把孩子送去上学。东林早就感到现代教育对孩子的重要性,特别是自从打官司以后更觉如此。因此他很高兴地同意给予配合。东林马上让站在柜台边的堂弟东恒、玉衡的长子去村里捎信,让六哥来镇上学。

颂南离开店铺后,芬洲就私下对东林说,"对我来说,颂南成为镇里的重要人物似乎难于理解,你还记得他是怎样突然发家而且传闻风起吗?最初他只是一个面包店主。有人告诉我,他的一个堂兄是一个黑钱会的头头,这个堂兄从抢劫生涯中告退,以后和颂南住在一起。人们说,颂南杀了他的堂兄后,捞到了抢劫、偷盗得到的所有钱财,从此发了家。"

东林答道:"这些我听说过,但是我不知道这里面有多少是真情。"

"不管怎样,"芬洲接着说,"从那以后,颂南盖了新房,娶妻纳妾。人们说,他堂兄的鬼魂常出没于这所房子,后来他遇见了一个西方传教士,帮他驱逐了鬼魂。传教士布道使他变为基督徒。他把房子当做教堂,每七天做一次礼拜,其他六天供学校当做教室使用。现在中国的传教士和学校教师同他住在一起。"

东林说:"如果是这样,他的学校则是一个教会学校。"过了一会儿他又继续说:"好了,最近我接到三哥的一封信,信上说他接受了洗礼,无论如何这是与有影响的外国人和教徒取得联系的途径。"

这时从药店来的一个学徒把芬洲叫走了,结束了这两位姻兄弟之间的谈话,然而决定已经做出了。

第二天,东林的二儿子四哥带着小哥到镇里见他们的父亲。东林没有亲自带他的小儿子去学校,而是他的一个会计姚凯团替他去。凯团拉着小哥的手,带他到了学校的大门口。他们刚一踏上房门台阶就看到两边都挤满了孩子,每个孩子都坐在一张桌旁,教师是一位穿长袍的中年人,他双手相合,点头欢迎凯团,凯团以礼相敬。而后,让小哥像其他学生第一次见老师那样,在老师面前跪下。同时,四哥已为小弟弟搬来一张桌子,老师让把桌子放在右边第二排。

六哥这个小男孩曾在茂德的婚礼上主持过请新娘出轿的仪式，他现在八岁，是个瘦弱、面色苍白的孩子，由于他长在农村，所以害羞，怕见生人。当他坐到桌旁以后，就开始后悔来上学，他不想让四哥离开他。当哥哥走出房门时，小家伙的眼睛里充满了泪水。他在陌生人中间感到孤独，就像一只迷失在荒野中的小山羊。传教士的儿子坐在第一排，他回过头来看着这个乡下孩子，嘲笑并指着六哥的泪水说："快看磨坊主榨油了。"小哥再也忍不住了，跑出教室，追上他哥哥，请求他把他带回家。

东林是一位严厉的父亲，儿子们都视他为家庭中的专制统治者，尽可能地敬而远之。但是执行他的命令就像执行皇帝的诏书一样。在兄弟中弱小的六哥最怕父亲，从未感到过他的慈爱。两人刚一回商店，父亲就冷酷无情地让四哥回村，命令小哥独自回学校去。对于小哥来说学校生活的第二天比第一天更为可怕，老师开始检查他的功课。

第三天吃过早饭后，小哥哄骗他父亲，说他保证直接到学校去。实际上他却往回家的方向走。过了一会儿，当他在湖口大街上看见东恒时就紧盯着他，想尾随他回村。东恒刚一离开镇子，小哥就在后面跟着他，往黄村走去。当东恒发现他时，要想阻止他已为时太晚，他们已经到了村边儿。

小哥突然出现在母亲面前，黄太太十分高兴，因为她很想念她的儿子。他假依在母亲怀里，哭着说，再也不到学校去了，只要让他和母亲在一起，就是让他放一辈子水牛，也心甘情愿。黄太太是一位温柔、善良的女人，她把儿子搂在怀里，安慰他，给他讲故事，让他高兴。学校生活中的恐惧逐渐从他脑海里消失了，小哥心中充满着幸福,母亲和儿子在一起说说笑笑,一切又变得十分美好。

东林也回村的消息传来使他们大吃一惊,立即打破了这种美好的气氛。小哥已感到即将来临的惩罚在威胁着他。他的脸在发烧,心在胸膛中剧烈跳动,他飞快地离开母亲,穿过厨房后门,企图逃往房后山上的树林中去。可是母亲紧紧地跟在后边,恳求他回来,这样小哥又被引回来成为他暴君父亲的受害者。

父亲在愤怒中折断了一根竹子,打他这个不争气的儿子,命令他立即回学校去。小哥哭着求援,黄太太往常总是听丈夫的,但是今天为了儿子却抗辩说:"这不是小哥的错,是我让他回来的。"

东林朝着他妻子喊道:"你真丢脸,你难道不明白我送你儿子上学是为了他好吗?我这又不是让他进监狱!"

黄太太不做声,不敢再阻止丈夫打儿子。这时,祖母潘氏和伯母林氏跑出来想阻止东林,可是她们刚一靠近他,东林就抓住哭喊的孩子,把他带出了家门。妇女们在后边喊东林回来,在家吃了午饭。东林头也不回,孩子越哭越厉害,父亲扛着孩子径直向西边的路上走去。

祖母潘氏、伯母林氏和黄太太三位妇女跑出来,站在大门口望着父亲和儿子离开。离开家门不远父亲把儿子从肩上放到地上,但是儿子拒绝往前走,躺在地面上,父亲抄起一根棍就打,这次打得更狠,小孩子尖声地叫喊着。三位妇女不顾她们是小脚,急匆匆地奔过去,但不等她们靠近,父亲又抱起儿子,走远了。

太阳落山时,四哥干活回家,听说了小哥是如何从学校里逃学,又如何遭打被送回的事。黄太太请求四哥去看望小哥,她知道自从最小的妹妹珠珠出世后,四哥一直和他睡在一个床上,待他很好。两兄弟在商店见面了,小哥让他看他那被打伤的肿胀的手脚,哥哥安慰他,让他以后做个好孩子。

小哥不敢再逃跑了,当四哥要离开商店时,他偎依在哥哥身边,不让他走。两兄弟一直十分要好。这时东林来了,一把就把小哥从四哥身边揪走,带进了后屋。听着从卧室里传来的哭声,四哥心情沉重地离开了商店。回到家后,当母亲向他问起小哥的情况时,他哭了。

东林这样坚持让小哥上学看起来似乎很奇怪。然而对东林来说,尤其在他遇到很多困难和障碍后,深感孩子受教育对他以后的生活道路有多么重要。他要这样来塑造小哥的希望对他起了很大作用。后面我们会看到,小哥以后成了受过高等教育的人。如果东林让他的儿子按照自己的意愿办事,他可能永远只是一个放牛娃。东林的脑子里总是想着打官司得到的教训,因此他坚持实行自己的计划。东林怀着对自己小儿子和家庭的最大关心,运用他个人的权力,以使孩子们适应新的环境。

几天以后,小哥确实开始对学校生活发生了兴趣。与他第一个交谈的男孩名叫魏成清,成清比他年龄大,但是和他一样聪明,他们很快成了好朋友,不过偶尔也是"敌人"。在算术课上,小哥总是比其他同学解题快,因此同学们都问他答案。对其他课程,像历史、地理、书法和作文他也都学得很快,传教士的儿子最初看不起这个乡下孩子,现在也表示了友好的态度。

学校由传教士和教师来规划,在组织者颂南和教师的领导下,选择了一整套现代课程,然而家庭和乡村学校的老传统还多少存在着。有一次成清背诵文章,他像旧式学生那样背过脸朝着老师。他背到一半时停了下来,那一半记不起来了。坐在旁边的小哥就小声告诉他,没想到让老师听见了,立即用白粉笔在地上划了两个圈儿,成清和小哥各站到一个圈中,罚站几个小时。惩罚是在孔夫子圣龛前"跪香"的变更形式。孔夫子没有了,因为在教会学校中,除了耶稣基督外禁止崇拜其他神,但是虽说是以变更的形式出现,惩罚仍然存在。以前的"跪香",就是要学生双手握香跪在圣龛前,直到一支香燃尽后才许站起来。

小哥学习勤奋,经常受到奖赏。如果老师用红笔在小哥手心画一个鸡蛋,就表示奖赏他一个鸡蛋。小哥总是把手掌伸给芬洲姑夫或凯团会计看。晚上他们或许就会买一个鸡蛋给他,但是小哥从来不给父亲看"鸡蛋",他太怕父亲了。小哥在学校学习成绩优秀,特别是父亲在期末考试公布的成绩单中发现,第一名总是他儿子的名字,从此他越来越喜欢这个儿子了。

除了学习好以外,小哥还积极参加课外活动。在学校中有一节体育课,每个学生都有一支仿照真枪做的木枪,教师像指挥官一样向学生发出命令,像在军队中一样行进和止步。他教学生唱军歌。放学以后,学生们自己练习在体育课上学的东西。除此之外,他们模仿驻扎在湖口的部队士兵的组织程序。他们用一个本子记录每个组员的职责。有一个时期成清要和小哥竞争指挥官职务,学生们提议进行投票选举,把小哥和成清这两个候选人的名字写在一张纸上,谁推选小哥就把名字写在小哥的名字下面。选举结果,成清下面没有名字,他因此而落选。成清力图通过勤奋学习追赶小哥,以便夺回他的位子,然而这是徒劳的,因为即便努力学习也难于赢得支持。

一天晚上小哥作为指挥官,命令他的"部队"开进属于他父亲东林和芬洲的商店,商店的人都感到很惊奇。商店附近的人也来看"部队",在观众围观下,小哥发布命令,部队实习在学校学过的操,此外,表演了从真正部队(每天在村里操练)中学来的新操,学生们的表演引起了观众的阵阵笑声。坐在柜台旁的东林以极大兴趣看着小儿子的"部队",为他感到自豪。

　　坐在小哥后排有一个名叫张月英的女孩,是茂德的媒人茂恒的大女儿,茂恒是湖口镇里一家杂货店的店主,他的买卖做得很成功,所以全家都从陈洋村搬到商店后屋来住。作为一个受过教育的"现代"人,茂恒送他女儿上小学和男孩子一起学习。月英是个品行端正的小女孩,不大与男孩子交往。她长着一副圆月般的脸,明亮的眼睛,月牙式的眉毛,微笑时左边有一个美丽的酒窝。月英和小哥很要好,这不仅仅出于两家的关系,也是因为他俩对功课都感兴趣。

　　一次,月英到洗脸间洗手,小哥的对手成清跟着她,想要拥抱她。她十分生气,可是因为她感到羞怯,就只把这件事告诉了小哥,他马上报告了老师,老师受到很大震动,因为这种行为是最粗俗的。一个受过教育的孩子是不应该犯罪的。老师抓起一根竹棍就打成清的头,这说明老师狂怒了,因为竹棍一般只用来打学生的手心。

　　小哥在商店里很少花时间学习,而是让人们给他讲故事或做水车、鸟笼、草筐来消遣。一天他竟然从药店偷了一个盒子来搞他的发明,结果又被父亲教训了一顿。这次他觉得太不公平了,由于他开始感到不像以前那样惧怕父亲,并对自己在学校取得的成绩感到满足。因此,父亲这次惩罚他之后,他哭了整整一个下午。在他哭的时候,非常喜欢他的茂恒正巧从这儿路过,他进来安慰他,但还是止不住孩子的哭声。他厌倦地离开了,告诉店铺里的人,他花了两个小时仍不能阻止住这个执拗的孩子,他不那么喜欢这孩子了。结果,后来当三哥请求茂恒让他女儿与小哥订婚时,茂恒竟一口回绝了。

小哥已经惯于来往于店铺和学校之间,一时忘记了乡村的生活。父亲逐渐代替了母亲,与他的关系越来越密切。最后,不仅父子之间的关系发生了重大改变,而且其他人也开始看出变化,开始用一种新的眼光看待这个孩子。

然而,小哥没有完全脱离他的家庭和村子。端午节时,东林把小儿子送回家,小哥见到母亲和哥哥们极为高兴,又享受着家庭生活的乐趣。当他到家时,看到大门两旁贴着新对联,大门横梁上挂着菖蒲枝,它那剑一般的叶子意味着能避邪。他在孩子们、妹妹珠妹和小侄儿少台的一片喧嚷中走进房门,孩子们围着他要月饼吃。

黄太太、伯母林氏和大嫂在第三层楼的大厅中包粽子。粽子是用糯米做的,肉、果料和果仁当做馅。外面用竹叶包裹好,再用草绳一扎即可。蒸好后挂在天花板上,这是一种精美的食品,随吃随取。

六哥走进时,把一叠手帕和一把写着几行字的纸扇给母亲看,纸扇是学校老师送给他的。依照传统,在端午节时学生要邀请老师参加盛宴,老师把扇子和手帕作为礼物送给学生。五哥已成为村里年轻人的头领,他想把扇子拿给伙伴们看,可是小哥不肯给,在争执中五哥抓住扇子,把它撕成碎片。六哥伤心地哭了。和六哥要好的四哥上来劝架,抓住五哥,俩人扭打起来。虽然四哥比五哥大两岁,但是个子并不大,两个力气相仿。他们的母亲黄太太力图分开他们,但是没能劝开。从那天起,兄弟俩就常常争吵、打架。

为了平息不和,黄太太拿出了几个绣花的香袋作为节日礼物发给孩子们。香袋小巧玲珑,上面绣着鸟、老虎、狼、鱼、鼓、扇等各种图案,每个包里都装有香粉,然后小心地缝起来,每个包上都有一条丝带,可以挂在脖子上。

阴历五月初五的中午,家里举行节日欢聚。虽然东林和三哥未能回家,其他人还都像以往一样欢庆节日,大家喝着雄黄酒。雄黄酒是把雄黄粉放入普通酒中制成的。根据传统方式,他们把雄黄用水混合,抹在六哥、珠妹、少台的前额上。四哥做了一个雄黄粉筒,然后点着,据说它的烟能避邪。点着以后他拿着冒烟的圆筒往墙上写几个字,以表示有好运气。没有什么别的东西能像雄黄粉那样能驱逐瘟疫或其他疾病、蛇、毒虫等祸害的了。

下午四哥和小哥去镇上了,在闽江上要举行一连几天的龙舟竞赛。龙舟赛是为了纪念中国古代一位投河死去的忠诚的大臣和诗人屈原,人们把粽子扔到河里供这位忠诚的人的神灵享用。在福州地区每逢这个时期就要赛龙舟。

过了节暑假开始了,三哥从福州回来后,带来了他的同学、结拜兄弟陈香凯。香凯是个20岁的人,高个、方脸、宽肩,健壮而又精力充沛。他健谈,爱讲故事,开玩笑,黄家的人很快就都喜欢和尊重他。

一天,香凯正和三哥、他的三个弟弟在房后的山坡上玩耍,他望着山脊惊叹道:"兄弟们,这就是好风水呀!这山看上去像一只鸡,它的头和脸朝向一边,而它的一只金色翅膀伸向你家的房子,这可能就是为什么你们家繁荣兴旺的原因。让我们称你们的宅居为'金翼之家'吧!"三哥和弟弟们听到这个说法后十分高兴,他们把这一切告诉了黄家的人,他们非常认真地看待这件事,因为香凯是个受过良好教育的人。他们认为他的话比农村的民间占卜家的话分量要重。这个称呼从家里传到村里,从村里传到镇里,最后东林的"金翼之家"便尽人皆知了。

对学生来说,假期总是最为美好的,黄家兄弟更感到如此,因为他们和结拜兄弟香凯一起度假。他们在月光下常去偷邻近村里的桃子和葡萄,然后来到小溪旁,坐在草地上聊天,分享"战利品"。白天他们游泳、爬山、采野果或串门。有时他们去看望茂德,在他的称作"龙吐珠"的住宅里吃午饭,他们从小山坡偷了红薯后就跑到山顶上野餐。在村里,偷水果和红薯是常有的事,所以不视为犯罪行为。

光阴似箭。假期快要结束,香凯和黄家兄弟又要回学校了。大家都舍不得他们,尤其待香凯简直和家人一样。香凯和三哥一起同家里每个人道别。祖母潘氏拿出两个煮熟的鸡蛋和一些蚕豆作为分手的礼物,她像待孙子一样地喜欢他。当他到镇里向东林告别时,东林一而再,再而三地请他以后一定再来。香凯从此和这个家庭建立了关系,这是从一种普通方式开始的,但是我们以后会看到,这对这个家庭的今后生活有着极大的影响。

第六章 村里的节日

香凯和三哥走后不久,适逢墓祭节,这是黄村所有家庭都要参加的节日。第一次墓祭(献祭第一个祖先)是在阴历八月初一,黄家的第一个祖先是东林的祖父的前五代祖。很久很久以前他沿着闽江从福建南部迁居到现在的黄村。可惜他到这里的时候村子周围的土地已被早期移民所占据,但是,他凭借着苦干,在村里赢得了一席之地。他当然没有想到几个世纪以后,百分之九十九的人都属于黄氏宗姓,只有村里的小酒店是别人开的。今天,同一血缘的黄村村民紧紧地团结在一起反对外来者,相互之间极为忠诚,他们的这个村子从此被称为"蛮村"。这个家族还带有一种福建南部方言的特殊腔调,邻近的村民听不懂。黄村人与外来人联系时,必须使用当地县城的方言——古田方言。古田是省里这个地区中的主要县城。这一天,同一个祖先的所有后裔在心目中以及在语言上都表现了是一个真正的族体。

墓祭节是传统的仪式。第一个祖先被称作某块土地的名义主人,这块土地通常被称为"祖公田",轮流地由同族中不同世系群的不同家庭来耕种。每年轮到哪个家庭负责这块土地,那个家庭就有权在这块土地上生产,但是也要负责献祭,并为全宗族准备盛宴。当然这块祖公田是不允许出售的,整个宗族对此都负有责任。

黄家第一个祖先的坟位于村和湖口之间的山顶上。献祭那天,家里选五哥和小哥负责这种事,他们很早就起来去上坟,想为家里人找个较好的位置参加中午的盛典,尽管他们早上就到了,可那里已来了村里的许多孩子。坟上打扫得很干净,野草和浮土已除去,座位摆在坟地的两侧,大约有12个位子围在一块平地周围,这块空地圆且平,用来当桌子用。

五哥和小哥来得晚了点儿,他们得四处寻找适合放自己家桌子的地方。坟旁一棵大树下的荫凉是一块很好的地方,每年的经验使孩子们学会了寻找最好的地方。

当小哥在找地方的时候,五哥和一个年龄相仿的男孩争吵起来,五哥要占领一块地方,而村里那男孩说是他的。男孩把他的东西放在那儿,表示已占据了那块地,五哥却说他早已把绿树枝放在位子上了,传统上这是最先占据的象征。在激烈的争论中,男孩和五哥开始扭打起来。小哥在家里以五哥为敌,现在则成了他的可靠助手。他跑过来,扔掉了男孩的东西,用一根棍打男孩的脚。在两个人的攻击下,男孩被击败,退却了。其实,他完全可以打小哥,只是他不能这样做,因为小哥太小了,不是他的对手。

村里的人越来越多,为献祭带到坟上的大约有30只大桶和许多筐食物。来到山上上坟的人群中有许多金翼之家的成员。小哥招呼着坐在四哥肩上的珠妹和由大哥背着的少台。两个孩子答应着跑过来寻找正在坟上等他的小哥。

东林和店员、东飞的哥哥东志从镇里跑来上坟,孩子们跑下去迎接他们,让他们加入自己家占据的空地。在村民中,东林如鹤立鸡群,惹人注目。他庄重、健壮、红光满面,精心修饰的小胡子使人印象颇深。他身穿一件短上衣,一条宽大的裤子。穿上这一身发亮的黑丝绸做的衣服,显得比别人更加漂亮,因为多数人穿的衣服是村里妇女自己做的粗布衣。然而并不仅仅是外表使东林显得与众不同。他的滔滔不绝、善于争辩、思维敏捷,对外界有丰富的经验,老练地与各种人物相处,这些都使他具有权威性和领导地位。东林作为自第一位祖先后的最成功和最能干的人受到每一个人的尊敬和欢迎。

过了一会儿,响起了爆竹声,引起山里阵阵回响。村里的孩子们欢笑着,每人的脸上都充满着愉快和幸福的表情。突然,一个领头人敲响了一面大锣,这是召唤所有子孙向安息在坟里的祖先们致敬。寂静的山林顿时进入了一个高潮,这时规定由肃穆的音乐伴奏进行庄严的仪式与活动。

男女老幼都跪在坟前,叩头三次,由于地方小,村里的人像潮水一样轮流到这里参加典礼。坟上雕刻的石碑前有一大石桌,上面摆满了食物,酒杯里倒满了酒,燃点着烛光和香火。最后纸钱、纸元宝堆在一起,一点即成冲天的火焰。

行礼后,食品要分给各处,人们坐下来开始野餐。村里的老人站起来向大家敬酒,并赞扬他们的祖先。家族中的所有男人,从刚会走路的孩子到老人都来参加这个献祭盛宴,但没有女人参加,只有几个十岁以下的女孩跟着跑来。这是黄家最盛大的集会之一。

黄家的墓祭节持续约十天,每天人们只打扫一个坟,这是按照从较远到较近的祖先的顺序逐日进行。像大树的枝杈,宗族的不同世系群是从祖先的"主干"分枝而来的。因此,轮到较近的祖先,不同世系分别向与他们有关的坟献祭。东林家自然不会忘记东林祖父的坟。这个地点被称为"鼠朝仓"。东林和他叔叔玉衡带着晚辈扫墓,带来了上供的食物。玉衡跪下,嘴里大声叨念着自己编的祷词。他是个有文化的人,以前是乡村学校的教师。

第六章 村里的节日

东林念书不多,对作祷文不在意,他爬上坟头远望,丰收的庄稼尽收眼底,他感到十分得意。坟旁的集会上只有一些圆饼和糖果,真正的盛宴将在家里举行,届时这个血统的男女老幼都来参加。

墓祭节对村民来说是个很大的场面,他们经过辛苦的夏季田间劳动,在秋收到来之前恰好借此机会休息一下。像其他村民一样,在墓祭节时东林从不缺席,他认为这是后代孝顺的行为,同时亲人的团聚可以加强个人间的纽带,成为村落的巨大力量之一。

这个欢乐的季节过后,生活又变得和往常一样。金翼之家的男人每天下地劳动,妇女照料家务,小小的节日来到之时,一般仅在各家分别庆祝。

例如冬至那天,黄氏宗姓的每家都举行自己的小庆祝仪式。前一天,东林和小哥回家参加在厨房举行的家庭集会,家庭中的每个成员都要参加。每人都要包一种米粉团的节日食品。

黄太太拿出一篮子糯米面,用水合成一大块,再揪成小块发给每个人。金翼之家的成员全挤在小厨房里,有的坐在板凳上,有的站着,还有的靠在墙上,他们把得到的面团再分成小块,在手心中揉成圆的。传说揉得越圆,家庭越幸福。淘气的小哥用面团捏成狗、猫、秤、盆、杵等各种形状。揉完面团以后,把面团放在一个大笸箩中,每个人轮流去摇,象征着团团圆圆,一代又一代。

节日那天天空刚泛鱼肚白色,大嫂便煮米粉团,再加进红糖。吃米团之前先要供祖先和灶王爷。他们分别把两个米团粘在大门口和屋门口,这种仪式起源于一个后代孝子的传说。从前有个人在深山里迷了路,不得不和动物生活在一起,他遇见一只母猿就和她住在一起,不久母猿为他生了个儿子,这个人就带着儿子回家去了。儿子长大后当了大官,他想让他妈妈回来和他一起生活,就把他的男性亲属集合到一起,然后到山里去。在通往他家的每棵大树上都粘上了米粉团,门口粘得更多。又老又饿的母猿追随着米团从森林回到家,这时他儿子出来迎候她,和母亲在一起过活。为了纪念这个孝顺的儿子,粘米团的风俗一直沿袭至今。

春节是村里最大的节日,庆祝活动从厨房的仪式开始,几天前就开始准备节日的各种食品。金翼之家的成员又一次祭灶王爷。他们供上十杯茶、十种点心、十盘精美食品和10杯酒。在厨房房顶上撒上黄豆,用来喂灶王爷的马,此时"新神换旧神",旧神骑上马飞离房顶到天上去,祭品是用来"收买"要离去的神,不要把家丑汇报给老天爷,以便不触犯老天爷,免去灾难。

小哥放了寒假,他是第一个从外面回家的。一到家他就看到家里打扫得干干净净,他的叔祖在红纸上写的新对联贴在大厅两侧、大厅的柱子上和祖先圣龛的墙上。

两天以后,东林和三哥也到家了。黄太太和祖母潘氏很高兴。三哥把从福州带来的风味点心分给家里人,东林给每个16岁以下的孩子一些钱,称为"压岁钱"。

除夕,金翼之家开始了真正的庆祝。太阳落山后晚饭前,大厅里挂上了红帘和红灯笼,祖先的圣龛放在大厅中靠墙的桌子上,圣龛前摆着献祭食品,点着红蜡。东林让三哥在圣龛前烧香、鞠躬。三哥此时已经成了基督徒,发誓再也不拜祖先,听到父亲的命令后他向四哥递了个眼色,四哥马上心领神会,走上前去烧香。四哥把香插到香炉上,东林看到有人执行了他的命令感到很满意,也就没有去询问是哪个儿子做的。

这时,有人把一个平底大锅放在大厅地上,锅里有一个竹木片堆成的塔。在塔底点着火时,洒上一些盐粒就会发出劈劈啪啪的响声,这算作"烧爆竹"。这个风俗起源于明朝(17世纪)福建沿海遭倭寇掠夺的时期。海盗是残酷成性的人,他们烧、杀、掠夺人们的财产、抢夺妇女。他们占了这片土地后,每家都被迫养一个海盗。后来人们秘密决定在除夕杀掉所有海盗,以燃篝火为号。这个举动十分成功,人们杀死了所有海盗,为了纪念这个辉煌的事件,人们传留下了"烧爆竹"的习惯。

在金翼之家,木头放在大厅的锅中燃烧。在小哥带领下,孩子们带上纸面具,围着火跳舞唱歌,直至木片烧尽后才许摘下面具,这会使他们去除疾病,尤其是天花。合家男女老幼都聚在一起,围在火旁,尽情欢乐。在他们中间不时传出笑声,温暖、幸福的气氛充满了房间。一家之主东林从烧完的火中取出三块炭,然后放到厨房的灶里,仪式便告终。

此后。祖先圣龛前的食物被移到厨房中做熟,全家共享刚才供祖先的食品。盛宴后他们再做一些祭品给风神、雨神、天神、地神上供。这些仪式都在大厅里举行。

黄家在灯笼和烛光的辉映下,从老奶奶到小孙子都守夜到很晚很晚。他们谈论愉快的事情,表现出循规蹈矩的作为,保证以新的精神面貌迎接新年的到来。大人特别告诫孩子们不说脏话和不吉利之词。如果这样做,大人就要用手纸擦擦他们的嘴,以弥补失误。

午夜到来之前人们支起一张桌子,供"春节米",桌上放一盒米、一对带花的瓷瓶、放在烛台上的蜡烛、一只香炉、酒壶和酒杯。桌子放在大厅中央,这些东西之中米盒是最重要的,纸盒是特制的,呈圆形,有15英寸高,染成金色和红色,蒸熟的米饭装满半个盒子，米饭上面中央处放一个大柑橘，周围放"五子"，盒子里面有十双漆筷插在米饭里，饭里还插上两个松柏枝，枝上有彩花、纸钱、纸元宝、花穗、小年历等吉祥物。

一切准备妥当之后，东林作为一家之长拿起一个酒壶往酒杯里倒了三次，五哥点着爆竹，四哥点燃纸钱，全家一个接一个地从后面的桌子旁叩头，直到院子外面。只有三哥因为有新的宗教信仰而没有履行这一礼仪。小哥虽然也受了洗礼，可是他仍像往常一样向家神和天神行礼。

黎明时分，南明这个金翼之家的佣人放了三枪，大家被枪声唤醒后互相祝愿新春好。孩子们穿上漂亮的新衣，兜里装满了花生和蚕豆，开始庆祝新年。

早饭后，一群村民拥进屋里，要看看新娘，二嫂一个多月前才嫁到这家，仍算是新娘。这是村里的传统，每年的新娘都应在新年欢迎来访者。二嫂打扮得很美，她来到大厅，手里拿着一个漆盘，盘子里有茶杯、"五子"、蚕豆和糖果。她把盘子端给客人们，害羞得不敢看人，每个客人都客气地从盘子里拿些吃的，并对她表示感谢。一些人夸耀她健壮、高大的身材、漂亮的衣服和可爱的禀性。

下午，东林请求祖母潘氏穿上华美的衣服，接受子孙们的敬意，因为她现在已经 70 岁了。中国人总是习惯从春节计算年龄，而不是从实际的生日计算。祖母潘氏穿上了一件精心制作的、拖至脚踝部的绣花长袍，坐在铺着红毯、放在大厅中央的宽大扶手椅上。前面地上也铺着一块红毯。伯母林氏首先跪在地毯上向她婆婆叩头三次。依照世代和年龄顺序，东林和家里的其他人也跟着行礼，最后一个是小少台，这是大哥的儿子，第四代的第一个成员。

同时，有一些客人来敲大门，在举行这个礼仪时大门是关闭的。来访者是张太太和她的丈夫芬洲、儿子茂衡、茂德。他们在吉祥的时刻到来,加入向祖母潘氏行礼的行列,潘氏微笑地迎接他们。尔后,人们用水果、糖、酒和茶招待他们。

可以想象,经过40多年茹苦含辛守寡至今的老母亲,如今能骄傲地坐在大厅中,脸上带着满意的表情,会有何等的高兴。太阳照进大厅,给红毯、绣花衣、新对联和新纸做的装饰物增添了明亮的光彩。每个人的眼睛里都充满喜悦,幸福的气氛充满了整个家宅。今天不做买卖、不上学、不劳动、不做家务,这是享受、休息、谈天说地、欢娱的一天。东林经历了自童年以来最幸福的时刻。

春节的确是村里最快乐的节日,每个人都享受着节日的欢乐,老人们让孩子们拿出祖传下来的乐器,组成一个乐团,日夜不停地演奏。乐团有时围着村子转,拜访每一家,给人们送去欢乐和喜悦。节日里你可以不时听到从各个家宅里传出的欢呼与喝彩声。

节日一晃就过去了。春节后第四天,湖口的店铺又开门营业了。芬洲和东林离家返回商店,村里的生活又像往常一样。

恢复正常生活后,年轻人马上又去参加自己的业余娱乐,许多人又去村里的赌博俱乐部,这是当时很为普遍的组织。

就连还是个学生的小哥也跟着五哥来到一个栅子里学赌博,那儿聚集着村里的男孩子,但他们赌的不是钱,而是花生。有一次,孩子们的游戏结束后,小哥和五哥在回家的路上经过村里的茶馆时,听见里面有人在吵闹。进了茶馆后,看见围坐了许多桌赌徒,其中一个赌场老手在和二哥吵架。二哥想欺骗人,被人家发现了,大哥冲进来斥责二哥并把他带回家。他干得很成功,但一到家大哥和二哥就争吵并扭打起来。

这的确不是偶然的事。一家之长东林不在家时,这两个人经常打架,相互埋怨,除非万不得已,否则两人绝不说话。他们之间的怨恨也影响了媳妇之间的关系。天啊!东林认为家庭中和睦和幸福的顶峰时期正是播下怨恨的种子的时期,这为将来的冲突埋下了隐患。

春节的月圆之时,正月十五是村里人人参加的又一次盛会,在黄家祖先大厅里举行。这里有最早的祖先牌位,不同支系的每个家庭都要供一桌精美食物,烧香并准备好花瓶和红灯笼。供品从厅后摆到厅前,村里的所有人都挤在这个厅里,来来往往,穿梭不停。在明亮的灯笼照耀下,人群中夹杂着各种声音,叫喊、祝福、责骂、道歉声混成一片。

突然大门外连续三声枪响,接着是一片寂静。此时每个人都闭上嘴、屏住呼吸。寂静要持续十分钟以表示来年不会有灾难降临村中。然而不吉利的是在寂静中传来了几声狗叫,村民们担心起来,怕迎来一个艰难的岁月。十分钟过后,人们又听到一声枪响,喧闹声又轰然四起。

摆供之后,在午夜要举行盛宴。男人的餐桌放在大厅和院子里,女人的餐桌放在后厅和后面饭厅中。老人举杯祝大家健康,他们追忆祖先和村落的历史,讲述着民间传说。

节日和劳动交替着。在劳动中村民们盼望着下一个节日,节日过后他们又精力充沛地投入劳动。他们的生活就是劳动和娱乐的循环过程,然而是十分充实的。

第七章 农业系统

春节期间,当金翼之家的年轻人参加赌博俱乐部时,家里的佣人南明把妇女们多日收集的猪、水牛粪晒在家门外的右边,晒干以后用竹竿打碎,小块作为肥料,大块则再次晾晒后打碎。

春节结束,一年的劳动开始。二嫂是家里的厨师,她给家里的四个壮劳力:大哥、二哥、四哥和南明准备早饭。大嫂从厨房里拿了个竹篮子,放进15碗饭,米饭上摆一些菜,有咸鱼、咸菜、青菜,有时有点肉。再放四双筷子和四个空碗,上面盖上一个竹盖。这是给在田里干活的人准备的午饭,另外还有一竹筒茶。

除午饭外,四个人每人担两筐干且细的粪肥。他们清早离开家,长途跋涉到地里去。田地一般是在高山的梯田上,每节梯田包括有一块或几块地。春节过后,头年收获及翻耕过的土地已干燥。大哥是四人的领头,他爬到最上端梯田处,用锄头刨开一条路,让山溪的水流到第一节梯田上去,其他三人在每块梯田上都挖一个排水沟,使水从高处流到低处。

浇过水后,他们并排地用锄头敲打大块的湿土,从上面的梯田开始干,一直干到下面。

大哥的年长决定了他的领头人的身份。他中等身材、宽脸,长着大而扁平的鼻子和浅黑的皮肤,脸上留下了得天花时落下的麻子,再加上形状古怪的脑袋,使他看上去十分丑陋。然而他思维敏捷、聪明,只上过两年学就能写一手好字,识两千多个字。由于东林经常外出,所以他自小就帮助料理家务、保存家庭的法律公文、管理账目。

在田里,大哥是个严肃的劳动者,对伙伴们很严厉,很少露出笑容。太阳照在头顶上时,他扔下锄头,让他们停下来。他们到梯田上的阴凉处,打开篮子,拿出饭菜,吃午饭。吃完后,轮流喝竹筒中的茶,并躺下来休息。这时南明拿出竹烟袋。烟袋柄约有1.5英尺长,他平时总是把烟袋挂在右边腰带上。他装满烟,点着后,静静地抽起来。烟从绿色的山边环绕着,一直升到晴朗的天空中去,好像把劳动的疲劳也一同带走了。

土块被打碎后,撒上肥料,如果午饭后土壤打得还不够碎,他们就再接着打土块,一直干到太阳落山才收工。第二天再到别的田里去干这些活,直到家里十块田的土都打碎、施肥后方可终止。

正月二十九是个小节,称为孝子节。东林买了一个大蛋饼,让小哥带给祖母潘氏。虽然农民们不放假,但在早上要喝"孝子粥"。粥是由糯米、红枣、芝麻、龙眼、红糖、花生做成的。张太太让张家的佣人培明给祖母潘氏送了一盒"孝子粥",表示女儿对母亲的尊敬。传说这个习惯源于纪念一个佛教徒,一出宗教戏剧中的主人公。这个教徒名叫目连,他要把他母亲——一个异教徒从监禁和饥饿的地狱中解救出来。他起初送给她米粥,可是全被凶恶的看守吃了。后来他想出了一个办法,把红枣、芝麻、红糖等东西放到粥里,恶看守以为是一些泥土。这样他母亲终于吃到粥,并被救了出来。今天人们把粥送给母亲,以表示孝顺。

有时,"孝子粥"用于避免恶运带来的灾难。小哥今年九岁,让他喝粥度过这"不吉利的九岁"。18岁、27岁、29岁等都视为不吉利的岁数,他们得喝粥来避邪。

早春,冬至后107天是"清明节"。此时开始了另一个农业过程:种早稻。清明节实际上是一个春天的节日,是春祭祖先的时候,就像阴历八月收获季节的秋祭一样。村民们认为,他们已故的祖先在暗中保护他们风调雨顺,使家族幸福。

春祭时金翼之家选大哥和五哥作代表,在祖先大厅的桌前摆供。这个节不上坟,供物放在桌上,每家都把自家的大锅放在大厅地上。玉门死后,玉衡代替了玉门的位子,成为族长。他开始发出口令。族长是辈分最大、年龄最长的人,死后由年龄次之的人接替。当玉衡叙说着请求祖先来享受供品时,每个家庭的代表都拿一些纸钱和纸衣在大锅里烧,献祭后,供品由每个家庭拿走,烧煮后给大家吃掉。

东林虽然埋头经营店铺,但是也从不忘记家里的田地和庄稼。他知道,土地是祖传的家庭生计的基础,务农是基本的职业。他虽然总不在村里,但他把农活委托给他的大侄儿——大哥,由他来负责农活和节日活动。

金翼之家的妇女干农活也不比四个男子差。播种时,负责贮存谷物和稻米的黄太太和伯母林氏收集去年保存的粮种,并放到温水中。四至五天后种子开始发芽,南明挑着种子撒到田里去。南明是家里雇的长工,他不仅干农活,还看管农具、修筐篮水桶、砍柴、种菜,并干各种杂活。

当稻秧长到两英尺高时,大哥就组织人力插秧,他叫上东恒和张家的长工培明一块参加劳动。六个人一起把秧苗拔出,六至七棵缚成一束,再分插到田里去。他们六个人站成一排,从上面开始干,插秧时每束秧苗与前后左右所插的各束约相隔两英尺,他们每个人负责的宽度够种五束秧苗的地方,从左边种到右边,慢慢向后移。插完秧后,每一束的根都要施肥,以供给新苗营养。再往田里放进更多的水。晚上,大哥在当天的账上记上,东恒和培明为家里干了多少活,以后要偿还等同的劳力。

种完早稻后,大哥他们开始种晚稻。晚稻种在早稻之间的空隙处。

播种和收获之间是炎热的夏季,在此期间要照管作物、除草、施肥、灌溉。除草时,黄家农人用长柄的铁齿耙,用此耙在稻束间来回耙过。农民们像插秧时那样站成一排,但不是从前排往后干,而是从后排往前干。除草后施第二遍肥,肥料是由人粪加水制成的。施肥是一个令人厌烦的活儿。此外,在稻子成熟之前还要除几次草、灌几次水。

暑假小哥上完二年级回来,他们让他赶一群鸭子到田里去喂。土地刚刚翻耕过,为鸭子提供了丰富的食物。一天,他赶的鸭子和另一群鸭在田里混在一起了,小哥用一根竹棍驱赶那群鸭子,由于竹棍太硬,打死了一只鸭。当他发现死鸭子不是他自己的,就赶着自己的鸭群回家了。

半小时后,从田里传来一个妇女的喊叫声。当她发现丢了一只鸭后,开始咒骂说,不知哪个家伙害了她的鸭群。她提高了嗓门,尖声骂着。当她的叫骂声传到金翼之家时,黄太太问小哥是不是他干的,小家伙忍不住哭了,坦白说鸭子是他打死的。黄太太带着小哥,捡起死鸭子交给大声叫骂的妇女,请她原谅,并说这鸭子是无意之中打死的,答应赔偿她。这样,大声叫骂的妇女才满意地离去。黄太太总是这样公道谦和地处理与邻居的关系。

炎热的夏天,庄稼受着干旱的威胁,黄家农民要浇灌农田,低处的田要用水车浇灌,这个工作由两个农民来完成,他们肩并肩地用脚踩水车,把水从溪流中抽到水渠中去。

庄稼开始成熟后,为了防止鸟啄,就在地里树起稻草人。收获前,大哥到湖口镇里去告诉叔叔要收获了。这时东林带信儿给地主,让他们在某一时间去收取他们应得的地租。

金翼之家房前和屋下坡的庄稼先收获,黄家农民又从最上层的田开始收。农民用镰刀把结实成穗的稻秆割下来,捆成捆,堆在田间小路上。农民们一排一排地割,每人占五束稻秆宽的地面工作。为了能一天完成收割任务,大哥请东恒、茂衡和培明来帮忙。

二哥在附近找了一块硬实的平地,用竹子捆扎了一个脱粒架,每人拿捆好的一束束稻秆往脱粒架上摔打,他们在架前并列地干,一个人摔打下去,紧接着另一个人打毕向上,两个人一上一下轮流摔打,直到稻谷全部脱完,堆满架下的席子上为止。连续不断的摔打声响彻了远处的山谷间。

五哥和小哥虽然幼小,但在农忙时也参加劳动,他们帮助把捆成的稻捆搬到打谷场。孩子虽小,但是他们的工作在收割和脱粒之间是不可缺少的环节。

快到中午时,出租这片土地的湖口的林家派了一个管家和五个劳力去黄村。他们来到打谷场时,大哥放下手中的活去迎接他们。稻谷是在打谷场上过秤和分配。两个劳力担一条扁担,中间放一个秤杆。二哥和东恒把粮食放到口袋里,一人拎一袋粮食,挂到秤钩上。管家站在秤杆旁,称量后,由大哥在账本上记下每袋粮食的重量。粮食四六分成,林家得百分之四十,黄家得百分之六十。

分完粮食后,管家让随员把粮食送回去,他自己则与大哥等其他人在金翼之家吃午饭。下午收割、脱粒、过秤的工作继续进行，林家的人再来取走他们的粮食。

黄家的农民把湿粮食收回来，妇女们腾出一间屋暂时贮粮。第二天早上太阳升起时，家里人又把粮食搬到户外晾晒。地上铺上一张20英尺长15英尺宽的席子，把粮食晒在上面。这个活往往交给妇女和孩子们干。每隔半小时翻晒一次，翻晒工具是一个长柄的木耙。粮食要在晴天时晒三四天后才能贮存，最后一天要经过两道工序，先过竹筛，把杂草、土块去掉，然后用簸谷机簸一遍，把细草、稗子吹掉。机器放在一个木架上，由一个漏斗、一个飞轮和一个斜槽组成。粮食通过簸谷机后，便贮藏在二层楼上。

黄家男女老幼总在一起干活，像一个整体。妇女在干农活中与男子一样的重要，家里依靠妇女积肥、准备种子、晾晒粮食。

收获时的劳动是十分辛苦的，年轻的妇女负责做饭。根据村里的习惯，新娘二嫂要为全家做三年饭，然后和大嫂轮流做饭，每人做一个月。准备早饭是最辛苦的活儿。二嫂要在鸡叫头遍时起床，拿着灯上厨房，先点着炉灶里的干树叶，然后添进木柴。大锅里的水烧热后，倒进洗过的米，半个小时以后用一个竹筛把煮过的米捞到一个木锅中，再放到大锅里蒸。蒸饭时，她不断地加柴，还要洗菜，点上一个小炉子热茶，拿出菜碟。这时大嫂来帮助切菜、搬柴、摆桌子。桌子放在厨房旁的饭厅，四方大桌足够坐12口人。她们在桌上摆上咸鱼、咸菜、菜汤、豆、青菜、猪肉等，这些都是在蒸饭时准备好的。

黄家下地干活的农民是第一批吃早饭的人，然后去劳动；随后是妇女和小孩吃，也是在同一个桌上。午饭、晚饭也是这样，除非有时下地的人带午饭吃。每天早晨蒸好的饭，必须够全家吃三顿。

早饭后,二嫂用同一个大锅给家里养的两头猪煮食,是由麸子加水做成的。祖母潘氏放出鸭子、公鸡、母鸡、小鸡,喂米给它们。夜里这些家禽栖息在她的卧室下面挖成的小洞里。夜间,家里有一只看家狗,狗专吃晚上的剩饭菜,也吃小孩的粪便。

上午,黄太太和伯母林氏每人拿一筐衣服到河边洗濯。那里有一大群妇女跪在村下河边的石板上,在潺潺的流水声中妇女们边洗衣边聊天,衣服被敲打后,再放到河里涮洗。洗好的衣服就带回去晾在屋里第一层院子里的竹竿上。

除了老祖母之外,家里的妇女们都从事纺线、织布、做衣、做鞋的工作。阴历七月初七叫作"七七"节,要做针线活。每年这一天被认为是牛郎织女相会的佳期,年轻妇女们、大嫂和二嫂要在院子里摆供。供品有香烛、蚕豆、桃仁和鲜花。年轻的妇女要在月光下穿针引线,如果穿上了就是走运,以后则很会干针线活。最后可把供品分给孩子们,祝他们以后有美满的婚姻。

大麻能生长在贫瘠的土地上,妇女们用大麻纺线。这要先把麻漂洗成白色,然后捻成细线。妇女们坐在小凳子上,旁边放着细竹篮,捻够了就在轴上绕成团。

线轴套在织布机上,妇女们只能轮流织。因为家里只有一架织布机,家里的大部分布是他们亲手用这架机器织成的。

然后妇女们裁剪麻布,为全家做衣服。黄太太能裁剪各式衣服,村里的许多妇女都来请她剪样子。

妇女们也是制鞋匠。她们用积攒下的布头做鞋。除了在福州上学的三哥以外,其他人的鞋都是家里妇女们做的。

因此妇女与男子在家庭经济体制中能起同样大的作用。没有她们来贮存、准备食物、管理家务、收拾房间、洗衣做衣,男人就不能把全部精力投入到田间劳动中去。傍晚,男人从地里收工回来,妇女们迎接他们,接过他们从田间摘的青菜、捉的田鸡、小虾。

晚上金翼之家成了欢乐和休息的场所。除了狗以外,其他家禽、牲畜都圈养起来。疲劳的农民用热水洗澡或洗手、洗脚。晚饭比较简单,只有一两个菜。晚饭后,人们关上大门,点上灯,男人坐在大厅的长板凳上,妇人坐在小凳上,一起说笑、叹息、争论。孩子们玩着、吵闹着、欢笑着。不到一小时以后,大家都进入了梦乡,整个房子里一派漆黑、寂静、安宁。

秋天收获晚稻,程序和早稻一样。稻谷收完后,黄家农民用锄头把稻根刨出,扔在地里使它烂掉。他们在家里举行庆丰会,全家人和客人(多数为帮助收获的人)共同参加。庆丰会上有糖、酒和特制的糯米糕,农民们举杯,庆祝经过一年辛勤劳动换来的丰收。

天气越来越冷,田地里一片荒凉。这时是翻耕时节,黄家用水牛耕地,家里拥有 15 头水牛,雇了一个放牛娃素华,喂牛、放牛。放牛娃每天把牛赶到山上去,水牛习惯于下午在溪边憩息。水牛是役用牛,从不做肉牛或奶牛,在耕地时节大部分水牛被租出去,只留一两头用来自己耕地。

耕地是个慢腾腾的活计,只由大哥负责。他用一根绳子牵着牛鼻子到地里去,牛脖子上套上牛轭,牛轭是 L 形木头,两头系上一根绳,与犁上的皮带相接。大哥扶犁,牛走在前面,步履艰难。犁铧翻卷着土壤,一卷一卷,就像天空中的云彩。翻地是为来年播种做准备,以便多打粮食,供养黄家丁口。

第八章 大米交易

冬季和翻耕时节之前,金翼之家的所有男女都要参加劳动,把稻谷脱皮变成米。第一道工序,稻谷要经过木磨脱壳,两个人一起干,一个岁数较大的男人,如大哥或四哥推磨,另一个人把稻谷倒在磨中间的洞中,常常是妇女,如黄太太或伯母林氏来做,很少有两个男人合做这件事。有时南明则一个人独自干这桩脱壳的事。

脱壳后用簸谷机簸筛。然后大哥把脱壳的粮食挑到水磨坊,水磨设在村里的小河旁,是黄家宗族的祖先修建的。从外面看这是两层的房子,一层是磨房,二层过去是玉衡曾教过书的小学教室。这座水磨坊是全村的共有财产。

大哥把去壳的粮食倒进磨房里的石臼中,把挂在顶栅钩子上的石杵解下来,石杵与水车相互联系,流水有节奏地不断推动水车,石杵也一上一下地落在石臼上。当臼中的米砰打成白色之后,大哥便挂住石杵,把米用一个铁勺从臼内舀出来。伯母林氏和黄太太站在他旁边面向大木床,她们在床上用筛子把米糠筛掉,白米再次经过簸脱机,把剩下的细糠吹掉。这道工序完成之后,米就可以下锅或出售了。米糠是喂猪的好饲料。

如果大米除供黄家食用外还有剩余,大哥就挑到湖口的店里去卖。他让南明和二哥搬几筐米到大厅去,大厅的地上放了一个敞口的大筐。当大米都倒进大筐里,大哥嘴里噙着水,把水喷洒到米上,他蹲在地上,用手在米上划来划去,如此重复,直至大米湿润了为止。然后用斗量米。用水喷过的并量好了的米就倒进麻袋,每袋约装10斗米。

大哥、二哥和南明各挑两袋米,用扁担挑在右肩上,再用约有肩高的木杠插在扁担下,另一端挑在左肩上,以便减轻右肩的担负。往湖口镇走的西路上,他们能碰见许多来来往往的挑夫,有些人在阴凉的树下休息,有些人急匆匆地快步赶路。

南明第一个来到商店门口,看到里面有一群人,东林正蹲着用手从一袋米中捧起米粒查看着。他这时站起身来欢迎南明。

南明走进来时,这里正在进行着有代表性的交易。来的人想把米卖给东林,让东林给价高些,但东林摇摇头说:"兄弟,你的米里掺的水太多,我不能提高刚才说的价了。"

听到这些话,卖米的人抓起靠在墙上的扁担,好像要把两袋米挑走的意思。当他扎口袋时,对东林不高兴地说:"旁边的店铺价格高,但是我没把米卖给他,如果你不抬价,我可卖给旁边的商店了。"这是卖米人在进行交易时常说的话。

"我能不能看看你另一个麻袋里的米?"卖米人似乎真要到旁边店去时,东林问他。

"行!"卖米人说着,放下扁担,把另一袋米抬过来让东林再检查。

东林蹲下来,用手来回地拨动着米,然后抓了一把,捏成一团,再伸开手给卖米人看。店主说:"兄弟,看你在米中掺了多少水呀!"

"天哪!"卖米人说,"你这铁掌,就是沙子也能让你攥成球呀!"

东林站起来很坚定地说:"我再多给你一毛钱,不能再多了。"

卖米人恳求说:"掌柜的,再多给三毛怎么样?直说咱们不耗时间了。"东林摇着头不说话。这时卖米人又挑起扁担,慢慢地向门口走去,东林在后面大声喊道:"兄弟,等等!给你这么多怎么样?"他伸出两个指头,意思是再加两毛钱,卖米人回头看看东林,站了一会儿,说:"好吧,我就把米卖给你了,不再耽误工夫了。"

在大厅中间,一个主管助手正在检查大哥、二哥和南明挑来的米。因为这些米是从金翼之家拿来的,是店主自己的,所以不需要讨价还价。助手在3三个挑夫的帮助下,把六袋米倒进一个敞口大筐中计量一下,再倒回口袋中。每次计量完毕,助手就把卖米人的名字和双方商定的价钱大声报给会计。然而,此次不用报价,因为会计知道,卖米的是店主自己,他知道该写多少价。

主管助手计量大米时,正厅后面挤着一群人等待着量米,这些人包括第二助手和三个顾客,他们正在进行交易和计量。东林走到后面来,拿着从顶棚上悬挂下来的一个大秤,他左手把着秤砣,右手执着秤杆上的钩子,第二助手把米袋挂到钩子上,东林移动秤砣称米。直到秤杆平衡时,东林便报给会计重量,会计把它记录下来。不必每个卖米人的每袋米都称,只要称一次就能知道米的好坏。然而米价是靠验米时定下来的,而不是称量时定的。

称完后,第二助手和卖米人一起把米抬到楼上,倒在贮粮仓中。回到大厅后,卖米人松了一口气,他们喝茶、抽水烟袋。而第二助手还要去同别的卖米人打交道。

会计凯团用算盘算完给卖米人的米钱,从钱柜里拿出银圆及零钱递给东林。东林现在站在柜台前。每一块银圆上印有一个铁印模,上面有一个汉字。印有这种字样的钱是店铺发行的,一旦发现是伪造的,任何时候都可偿还。

东林把钱交给三个卖米人,他们点了钱,以后再分给每个人,然后拿起空口袋、扁担、木杠准备离开,他们向商店的人道别后,便走出大门去了。

这时南明和二哥准备回村,大哥则在柜台旁边同叔叔聊天。他们中没有人得到钱,东林是一家之长,总把钱存在店里。卖米的钱只是全家收入的一部分。

小哥放学回商店吃午饭时,看见大门口有许多卖米人和米口袋,这时他就向药店门口走去。一个小伙计正忙着用小秤给顾客称草药,助手杨林用算盘算账。顾客交钱后,杨林把钱扔进一个漏斗,掉进下面的抽屉里。

在药店后面,一个老妇人带着她孙子来到云生桌前,等医生给小孩看病。可是这时云生正在隔壁大厅里忙着和卖米人做生意。

小哥经两店通道门溜进大厅,他向大哥问候,大哥只是点点头。大哥从来都不喜欢他的堂兄弟们,叔叔花家里钱送三哥和小哥上学,大哥对此越来越不满意。看小哥进来,东林让他捡起散落在地上的米粒。

见东杜从楼上下来后,东林让他摆桌吃饭。东杜是东林叔叔玉衡的二儿子,现在是店里的厨夫。他年纪很小,但是东林答应玉衡把他培养成一个商人。他的这个打算是在诉讼的那一时期产生的,以报答他叔叔给他的帮助。

大厅中央摆上了一个圆桌,小哥叫每个人来吃饭。凯团是第一个,他坐在一个高圆凳上,这是上座。左边是东林,小哥坐在父亲左边,在吃饭时父亲总是从盘碟里夹些猪肉给他。大哥坐下座,向东林汇报黄家情况和金翼之家的管理状态。叔侄间的谈话很少被别人打断,只是云生偶尔问一两个问题。不到20分钟大家都吃完了,饭后又去工作,多数人接着与卖米人做交易、验收、称量和运送大米。

这些日子,东林是商店里唯一的掌柜,芬洲越来越多的时间待在他的新居里。特别是在他的大儿子,那位在福州做鱼商的茂魁死后,他变得越来越懒散和悲伤。茂魁是在城里得瘟疫突然死去的,他的尸体用棺材运回老家,但是没抬进他们住的新房,马上就埋葬了。因为当年传统是,如果人死在外头,就不能把尸体搬进家。茂魁的妻子是一个沉闷、胆怯但忠心耿耿的妇女。结婚十多年没有小孩。她丈夫死后,芬洲给她收养了一个儿子。这个寡妇十分疼爱这个儿子,一心想把他养大继承父业。

东林很同情芬洲,于是同意他退休了。东林自己把负责整个商店的担子担了起来。在生意上他积累了很多经验,是验收大米的专家。在商店里他是头儿,指挥他的助手、会计、店员和学徒们,使他们成为一个合作而协调的集体。

在商店中仅次于东林的就是原会计云生了。他以前曾是被诱拐过的人,现作为医生接替芬洲的工作,负责药店。同时也是整个生意的助理经理,从而他经常出面与卖米的人打交道。一次,一个卖米人和云生产生纠缠,但看到东林与另一个卖米人已经成交,就转到东林这边来验米。东林查验之后,问了云生开的价钱,便坚持说这个价格是合理的,因为他的米里不仅掺了很多水,而且过臼的质量也不好。就这样,东林支持下属的决定,也赢得了他们对他的忠诚。

凯团是商店里第三个重要的人物。他把全部精力投到大厅的工作之中。他是个眼明心亮的人,坐在柜台一个显著的位置上,约高出大厅地面一英尺,眼、耳、脑并用,了解主人和卖米人之间成交、记录检查、称量的结果,最后上账、付钱。他总是把钱柜锁得紧紧的,账目井井有条。这个细心、忠实的快手会计是东林的心腹。另外的一些助手和厨夫得做艰苦的体力劳动。如此,整个商店在店主的指挥下形成一个协作的整体。

临近傍晚,生意逐渐缓和下来,来卖米的人也减少了。天黑后,只有住在城里的一两个顾客来买咸鱼佐餐。商店里的人可以轻松一些了,有的去洗脸、洗手。有的懒散地坐在凳子上或站在大门口消磨时间。

点上灯后,店员们在一起吃饭。只有东林和云生可以喝酒。东林酒量较大,有时他也给小哥倒上半杯酒。但小哥现在是基督徒,不肯喝酒。这位年老的父亲现在越来越喜欢他,甚至笑话他说:"这真是个可哀的信仰,洋鬼子从来也不知道喝酒是件多么痛快的事!小弟,你喝吧,半杯酒可以避邪并驱洋鬼。"父亲把酒杯放到小哥嘴边,硬让他喝。这时的父亲会脱去那尊严的外貌,和儿子打起趣来。

晚饭后店里没有买卖。人们与邻近店里的人在一起聊天消闲,过一会儿也就都关上大门休息去了。

店里有的人得搭床睡觉。小哥与凯团会计同睡,在柜台后面地上搭床。他们搬四个凳子,搭上木板,木板上先安置草席,席上才铺棉褥子,另挂上蚊帐防蚊。这一天,凯团少了一个凳子,让小哥到大厅里搭床的主管助手那里拿一个凳子来。正巧主管助手那里也缺一个凳子,他先到药店那边找去了。当他回来后发现原来三个凳子中又少了一个,就大骂起来:"你这杂种,偷我的凳子!"他骂个不停,就引起更大的争吵。

东林正躺在柜台后屋里自己的床上,他很清楚大厅里发生了什么事。但那天晚上他喝得有点儿多了，也不想动。他只听见说小哥偷了个凳子给凯团搭床。当他听见主管助手用那个最轻蔑的称呼"杂种"骂他儿子时，便十分生气，走出来斥责助手。助手解释说，他并不知道这是小哥干的，还以为是自己的自幼好友凯团干的。双方坚持不让，争吵也就越来越凶，店里所有的人都起来劝阻他们，平息这场争吵。第二天一早，主管助手收拾行李准备离开，大家都劝他留下，特别是介绍他来店的凯团也劝他，但东林却一个字也不说。小错他可以原谅，但是敢和店主顶撞吵嘴的人绝不容留下。

要不是接到黄东志的来信，这场尴尬的事很难平息下来，东志是店里以前的助手，现在为茂魁的继承人，负责福州鱼货买卖的事。他在信中说城里急需大量白米。东林于是立刻吩咐一个伙计去找帆船船主马五，准备安排运米。马五马上就来了，被请到柜台里喝茶、抽水烟。

商人和船主的关系是很微妙的：如果城里的米需要量很大，船主会坚持不能超载以减少他的麻烦；如果运载的货物不充足时，商人也会拒绝必须满装船货的要求。他们各自的利益互相牵扯着彼此的工作。

这次是东林求马五多装些米。他们一起谈论了许久彼此间的老关系，最后马五终于同意给商店运载30海袋包的米。这种海袋包和普通的口袋不同，由大麻布做成，包较大，并有一种统一的规格。

晚饭后，店里除了凯团管账以外，其他人都集中在贮藏米库的地方，准备打湿大米。东林站在库旁看着大家干活，其他人都赤脚走进米库，站在米堆上。一个小伙子和东杜各拿一个有漏斗的水壶,往米上喷水。助手们用木铲子把湿米和干米分开两边。湿米不但可相对加大容积,而且还能增加重量。小哥不干活,在米堆上嬉闹。

第二天清早,马五带着一帮搬运夫来到米库边,助手们开始称量湿米,然后放入海袋里,并把袋口缝合起来,大麻袋外还印上商店的字号。和东林谈完后,马五去其他店铺,店员和搬运苦力仍留下量米、封袋,准备装船。

第一个苦力背上背一袋米下楼来,到楼下大厅后,把他的名字告诉会计。会计记下来,同时让小哥发给他一枚竹签。竹签两面有字,一面是商店字号,另一面是号码。商店要送30袋米,因此要发30枚竹签。晚上苦力用竹签换取工钱,这是检查他们装船工作的简便方法。

这些天来,这个小镇与福州城之间的水路运输还是很危险的,船在水中遇难的事时有发生,被土匪抢劫的事也不少。人们无力避免天灾人祸,只能求神保佑,东林也是如此。他建了一个龙王龛,认为龙王可以控制天下的水。神龛放在商店楼上。马五的船出航那天,东林在神龛前点蜡,烧香,他祈求龙王保佑他的大米,并请求龙王施展威力保护他的船只安抵福州。

这天,龙王爷不知是生东林的气还是玩忽职守,马五的船刚出发15分钟就出了事故。船装载的货物太重,撞到了礁石上。传来的消息说,船的后部损坏,所有稻米都沉下江了。

这个不幸的消息使东林十分伤心。他马上到神龛前再次祈祷,在神龛面前走来走去,焦急地等待派去打听消息的杨林归来。

杨林终于回来了。他显得很激动,用大声、惊慌的口气汇报发生的事。商店里的人都围着他,急切地想听到详细情况。船触礁了,但是只有一部分被损坏,三分之一的米海袋落到水里,剩下的没有受损失,船也遇救了,暂在江边抛锚。

也用马五的船运米的其他四个商店的经理来找东林,商讨该怎么办。他们一致同意,船应马上修好,把剩下的米运到城里,并派两个人去组织两支队伍,下江把丢失的米袋捞上来。找到后的米应平均分给五间商店。

不久,船修好后,安全地驶到了福州,马五通知在福州的东志,讲明船推迟到达的原因。与此同时,东志从他的经理的信中得知船出了事,他大骂马五,马五推卸责任,说出事不是他的过错。

东志负责在福州城里卖米,去找一些米商谈生意,这些人都是经常和他做买卖的人。米商和他一起到船上去看米,商讨价格。一旦米卖完后,东志把钱存到当地银庄。现在他已经和五个当地银庄有联系。和当地银庄的联系越密切,生意就越能兴旺。

就这样,东林对越来越多的人行使职权,他是黄家的家长、商店经理、生意经营者,影响很大。家庭生产出的产品部分自己消费,部分出售,卖米得到的收入再投资到商店中去,以便赚更多的钱。像这样的商店经营就如同连接几个乡村和大城市的纽带,是当地整个地区经济活动的中心。就是在这样小的贸易世界(城市和乡村间的经纪人世界)中,也能够产生一个领导,以他为中心,把他的同业伙伴们紧密地组织起来。

第九章　商店的生意

船触礁的消息迅速地传到了村里。传到金翼之家时,祖母潘氏和黄太太特别着急,派四哥马上去湖口打听详情。

进到商店后,四哥发现他父亲没有平时那般精力了。他很忙,饭后,他对儿子说:"你回去吧,告诉你奶奶、你妈别着急,只丢了一点米,或许还能找到。"过了一会儿。他又说:"到你芬洲姑丈那儿去,告诉他船出事和丢米的事。"

四哥来到芬洲家时,他这个老姑丈正在生气。芬洲见四哥来,装着十分冷静的样子接待他。但是从后厅中传来一个年轻女人的哭声,一会儿,婆婆张太太进来,开始向他侄子讲她儿媳妇惠兰简直是个泼妇。

以前惠兰是个欢乐的女人,一个好儿媳妇,自从她丈夫茂德两个月前得心脏病死后,就变成了个泼妇。惠兰的公婆有意让她守寡。虽然婚后生活才不到两年,可是惠兰和她丈夫度过了十分幸福的日子。起初她丈夫被她的美丽和迷人所倾倒,曾经一见钟情。她也确是个很开通的姑娘,经常公开地和茂德开玩笑、嬉闹,而用传统观点来看,这是夫妻之间不允许的行为。她对有茂德这样的丈夫十分满意。茂德是个受过良好教育、快乐、品行正派的男子。她曾很爱干家务事:做饭、洗衣、扫除、纺线、织布、做衣。她勤劳、肯干、聪明,很快成为一个尽职的、能干的儿媳妇。

第九章 商店的生意

但是,茂德死的那一天,惠兰躺在地上打滚,口吐白沫,日夜哭闹,几天不吃饭。从那天起,她再也不梳洗打扮,披头散发,不做家务,经常发脾气、摔砸东西。开始,她婆婆张太太原谅她,可是以后也没有耐心了,斥责她的野性。面对婆婆的斥责,她要婆婆把她送回娘家,而这个要求遭到拒绝。芬洲说给她抱一个儿子,然而这更使她心烦意乱。因为她已看到茂魁的媳妇所过的艰难的寡妇生活和黑暗的前程。

惠兰感到她自己遭到公婆的反对,生活无望,常与婆婆冲突,两个人吵得很厉害。芬洲由于失去他所喜爱的儿子感到十分伤心,看到他儿媳妇这样,便愈加难过。家庭里经常是吵吵闹闹,芬洲没心思去想镇上的生意。当四哥来告诉他消息时,他对四哥说,他已把做买卖的责任完全交给了东林。

芬洲放弃他的权力实际上是既成事实,商店已逐渐掌握在东林手中,就是芬洲的那一支系的人也直接受东林的支配。

在福州的商店代理人东志现在住在东林年轻时曾待过的货栈。货栈前面是石砌的天井,中间是大厅,大厅两边是厢房,后面是一个由一圈厢房组成的小庭院。除了两位房主的住房外,其他房间都被鱼商和湖口镇来的代理人所占用。

东志已卖完马五船上的大米,他的任务是保证运送大米和咸鱼的渠道畅通。清早,凉风习习,他来到中亭街,买了几种咸鱼:三桶乌贼、七筐鲤鱼、鲨鱼和鲽鱼。桶和筐都很大,约5英尺深、5英尺宽。

东志和其他人回货栈中间大厅吃早饭时,搬运夫把东志从中亭街订购来的咸鱼桶、筐搬到院子前面天井处,暂时贮存起来。筐、桶货物很沉,得由两个苦力用一根粗大的扁担各挑一头才能抬走。每个筐、桶都系上一个布条,写上湖口店铺的字号和货物的重量。

和马五安排好后,东志让搬运夫把买来的咸鱼装船,准备逆流运往湖口。

逆水行船很困难。虽然福州和湖口只隔80英里,但得用七八天才能运到。船常常搁浅,水手们拉着系在船桅杆上的粗大纤绳,马五和他妻子用长竹竿撑着礁石,让船移动开。水手们在浅滩上拉纤,马五站在船尾掌舵。其他水手们在左右舷划船,边划边唱起有节奏的船歌,以保持平稳的速度前进。

船到达湖口后,马五下船通知运货的店主,东林马上派了第三位助手去检查货物。助手看遍整个船舱的货物,查找白布条,看货到全后,才让岸上的搬运夫把货物搬下船。

20个苦力开始卸货。每两个苦力抬一个筐或一个桶。

搬运夫把货物从岸边,经过湖口山坡运到镇里。镇子离江边有着较长的距离,一到山顶,他们走下坡路才进入大街,一路哼着唱着直奔商店。

进店后又是一阵忙乱。每筐每桶的新货都要重新过秤,把称过的分量和布条上写的以及东志信上的记录相比较。分量常常不足,缺斤少两常被说成是气候干燥、跑了水气造成的,然而在路上水手们也常常偷鱼吃。

新到货和旧货并排摆在市场上,供应那些镇上居民、村民、贩米人、旅行者和古田县城来的商人,对于商店来说,商人是最好的顾客,他们常常大批购买,带回古田城去卖。

一天,来了个古田城的商人王汉康,他是古田商店的代理人,和福州城里的鱼商代理人东志的职位很相似。商店的人热情地接待他,他没说话,直奔新来的货。他查看鲤鱼,把手伸到筐底,翻出底下的几条鱼,闻闻,也用同样方式查看了鲽鱼、乌贼。鲨鱼太大,翻不动,于是他用指甲掐一掐,试试硬度。检查之后,他开始讨价还价。

咸鱼的价格不是固定的,随不同时间和不同买主而有变化。零售时,助手有权自己定价,但是如果整批出售,则要东林或云生和买主商定价格。

这次是东林给鲤鱼定价,汉康用中指嘲弄地指着东林。在这个地方,用中指指人被视为极为粗鲁的行为,因为人们把它看作是暗指阴茎的。这种手势常常引起激烈的争吵,但也要看具体情况和原因。熟识的朋友常伸中指表示开玩笑,东林和汉康就是这种关系。然而东林是有礼貌的人,他从不用这种手势"回敬"对方,但是在做交易时也不时地说一些脏话。

交易持续很长时间,掌柜的和商人来来回回地讨价还价。他们相互说一些友好的话,同时也带着敌对的心理。他们嚷着、笑着、互相讽刺、挖苦。会计凯团也是汉康的朋友,他出来参加他们的交易,常常站在掌柜的一边,和商人打趣。当他们几乎快讲好价钱时,汉康还在犹豫。凯团已经让两三个助手把货给他准备好,以此让汉康接受定下的价格。于是汉康就耸耸肩,不做声地接受了。

现在该轮到助手们了。他们从阁楼里拿出竹筐,装满各种鱼。竹筐的形式相似,只是小些,每个人都能挑两筐。每筐都要过秤,然后记录重量和价格,最后汉康雇挑夫把筐抬到古田商店。

晚上东林请汉康吃饭,他们边聊边喝酒,汉康喝醉后,就在店里过夜。他常常住几天后再到别的商店去,在湖口他没有自己长住的地方,经常来往于雇主待的县城和市镇之间。

除汉康外,还有七八个古田城的商人,他们都从湖口商店为在古田的老板买咸鱼。在这个批发货物买卖中,精明的商人都是有信誉的,从湖口商店的角度看,这是赚钱的生意,因此很好地招待商人,并让他们记账不付现金。商店至少一个季度派一个助手去古田县城收欠款。

又该到新年了。新年是要账的时候,通常派第二助手去城里取古田商人欠黄家店铺的钱。然而,这次出事了。

当第二助手带着两个装有银圆和钞票的黑口袋返回湖口时,路上突然杀出两个陌生人拦路抢劫。这个助手是个又高又壮的男子汉,他们扭打了一会儿,助手背着东西,行动不便,其中一个陌生人用石头猛击他的头部,他倒下了。陌生人抓起口袋,跑进树林。助手力图站起追赶,大声叫喊,请求他们,他趴在地上给他们叩头,求饶,说自己也只是个店员,钱不是他的。终于强盗们不知是受感动,还是为了仓皇逃窜,便扔回了一个口袋。助手只得拿起这个口袋,直奔回家报信。

抢劫的消息使东林大为震惊。然而他的经验使他保持冷静,在他的脑子里总是牢记着"人的命,天注定"的哲学,因此,他从不灰心丧气。

在生活中,当一个村民在经济上经过不断的奋斗转而富裕起来时,其他人总是看着眼红。东林和芬洲经营商店很成功,必然引起别人的妒忌。这也就解释了为什么匪徒偏偏抢劫他们。但是东林认为,这种小事是在生活和买卖上常有的,他力图想办法避免事情的发生,同时,即使发生了,也处乱不惊。

店铺在东林生活中占主导地位,商品不断地流入、流出。长年累月地把村里的大米收购上来,再卖到城里;买进咸鱼,再卖给村民。店铺一年年地发展,与社会生活中复杂的生意合拍。

新年又来到了。和黄村一样,对湖口镇来说,这也是一个重大节日。从四面八方来的人为过节采购东西,街上人山人海。助手们被派到各村要债,除夕之前欠的债都要还。到最后一刻,助手们点着灯笼到镇里、村里的每个角落搜寻那些想躲债的顾客。

商店关门三天,这是一年中商店的唯一节日。东林回家乡过节时,商店里的人为了消遣和娱乐,组织了一个赌会。在店家里只行供奉龙王爷一些佳肴的祭礼。但在镇上的大庙里却举行大型献祭活动,大多数家庭都来参加。

会计凯团起草一个全年生意的收支清单,计算资产及负债、利润和亏损。

起初赢利完全归合作者芬洲和东林。他们俩最初投资,如果赚了两人平分,亏了也各负一半,各拿出同样数量的资本补到生意中去。

现在为了鼓励发展生意,采用了分红制,实行"红股"。商店里共有12份股,8份普通股,4份"红股"。普通股均分给芬洲和东林,四份"红股"分给当医生和药店头头的云生、当鱼商及在福州的代理人东志、总经理东林和商店会计凯团。所有利润都均分成12份,新的4份归新股东。

具有"红股"的人只有有限的责任,他们有权拿利润,但是无需投资或弥补亏欠。也就是说,如果亏了,亏损完全由原股东承担,而不由"红股东"承担。"红股"只给在商店里积极工作的人,以此来鼓励工作。"红股东"仍是商店雇的人,任何时候都有可能被解雇。

店里的人在本店就餐、住宿,这只是总开支中的一部分。除此之外，每人可得到年薪金或工资，钱数从三元到百元不等，学徒伙计报酬最低，而总经理最高。

新年过后，商店重新营业。第一个月的前半月生意不兴隆。商人联合会召开春季会议。联合会没有总部，每人做一年执行主席。谁当主席，年会就在谁的店里开。

一天，一个男孩到店里交给东林一个红信封，里面是邀请信，东林打开并读了信。然后，他换上一件干净的长袍，掸了掸瓜皮帽上的灰尘。站在镜子前照了一会儿，梳理了胡子。一切都打扮好后，他离开店铺来到开会的地点，那儿已经聚集了约20人。见他来，大家都站起身来，东林请大家原谅他来晚了，人们给他让了个座位，坐在人群中。大家又接着开会，他们正在讨论元宵节的庆祝活动。以往庆祝活动是以不同方式进行的：在镇上的庙里摆供、拿着灯笼游行、演戏或举办一系列盛大宴会。摆供要有，盛宴也是必不可少的，问题是游行要不要进行。有的经理认为，由于资金困难，以及周围农村盗匪破坏气氛，游行可以取消。

店主们在平静、和谐的气氛中谈论问题，不采用投票形式，不争不吵。大家都提出了取消游行的理由。由于无人坚持这一古老的习惯，问题很快就解决了。

联合会没有举行会议的固定时间，只要发生了与市镇或买卖有关的事，主席就召集开会。会议起的作用很大，成员们调节商品价格、租金等级、费用，甚至船运的日程。联合会是镇里公共事务的信息中心，地方政府和它直接联系，让联合会负责确定和征集商店和家庭的税收。驻扎在镇里的士兵也部分地由联合会资助。除了节日或地区的活动，联合会还处理有关修公路、建桥梁、保护寺庙等问题。会上还讨论教会学校和教堂的问题。如果出现什么紧

第九章 商店的生意

急情况,联合会也要加以解决。

东林开会回来,惊奇地发现他的合伙人芬洲在商店里。芬洲变得又老又瘦,苍白而又忧虑。他告诉东林,他要再次负起经营商店的责任,因为他在家里待不下去了。茂德死后,他一直想避开家里的阴郁气氛,太太黄氏和惠兰的婆媳冲突使他心烦意乱。芬洲受不了这种不安宁的环境,他脾气很大,在大厅里高声斥责惠兰。此后不久,发现不幸的儿媳妇吊在她的房梁上,幸亏及时发现,被救下来。惠兰遇到这么大的挫折,必须要回娘家去,芬洲对此非常理解。但是他那顽固的自尊心不能允许儿媳妇回去,因为在这种情况下让儿媳妇回娘家,对他的家庭来说是太丢脸了。新出现的麻烦促使芬洲离开了家。

回到商店后,芬洲发现他的处境比以前要困难得多,没有病人来找他号脉,多数老顾客都是找云生;商店里的人很尊重他,和他说话也挺亲切,但是他发现他大部分时间都闲待着。有时人们也来问他,但他解决不了,还得去问东林。他越待越觉得孤独,他向东林诉苦,说他老了,既没力气又懒得动,记忆力也减退了。

老合作人姐夫与内弟之间形成了真正的差别。芬洲在家里过了这么久清闲日子,已不适宜做生意。他退休后,商店的组织发生了变化,东林组成了他的一套体制。当了几年总经理的东林,在没有芬洲在店里的情况下,已把商店经营得很好。芬洲无计可施。他意识到他已被摒弃,不再是一个积极的经理,而是一个寄生虫。

芬洲在店铺里仍旧不能寻求到幸福的日子。这里的生活并不比家中顺心。他心里持续不断的冲突使他不得安宁,终会把他逼疯。正在这时候,有一天,他的二儿子茂衡跑进商店,气喘吁吁地说,他母亲黄氏病得厉害,芬洲便立即赶回家去。

第十章　芬洲的命运

芬洲的妻子黄氏多年来身体不好,她的小儿子茂德之死和惠兰的麻烦事使她十分忧虑,影响了健康,她躺在床上,知道自己要死了,只是想等待丈夫归来。芬洲到她的住房后,她头脑清醒了几分钟,悲伤地对他说,她活不了多久了,让他把惠兰送走,让家里恢复安宁。

芬洲见妻子已不行了,忙把全家人都叫回来,除他自己外,还有儿子茂衡、三个儿媳妇(包括惠兰)、两个侄子茂月、茂桥和收养的孙子。根据传统习惯,人临终前家里人都应在场,参加这最后的仪式。

黄氏刚一断气,三个年轻的女人就号啕大哭起来。惠兰并不同情她婆婆,但是在死人面前也忍不住掉泪。茂衡和他两个堂弟放下床帐和窗帘,把家具搬到别的屋去,打开窗户和门,通进新鲜空气。

茂衡这个唯一活下来的儿子主持丧事。他把母亲的脸用白纸盖住,身上盖一块红布;在别人的帮助下,在床前放置了"灵桌",上面有香炉、灯和两个陶盆。吊唁者轮流瞻仰死者遗容,灯总点着,里面灌满了黑油,称为"阴间灯"。人们认为,灯光能照亮死者灵魂,把死者带到阴间。茂衡用这个灯点燃供的纸钱。放在陶盆中燃烧。人们认为这时灵魂会继续附在遗体上,而且还会享受供品。

第十章　芬洲的命运

茂衡中等身材,黑皮肤,浓眉,前额向后倾斜。作为一个农民,他的一生都在农村度过,与外界很少接触。他比较迟钝,开口说话前总要眨几次眼睛。父母不太喜欢他,认为他没有茂魁和茂德聪明。然而,在这种场合下,他倒是个忠实的治丧者。

为了祷告死者灵魂、占卜未来,茂衡拿一个称为"灵钱"的铜钱,往"灵桌"上投去。铜钱上系着线绳,投出时要揪着绳子。投第一下是最重要的,如果铜钱朝上,表示是肯定的回答,朝下则相反。

芬洲深切地哀悼妻子的死。他派人去告诉亲戚们。死者的母亲潘氏是第一个来的,她带着儿媳妇林氏和黄太太。茂衡朝三个女人跪下,三人朝死者卧室走去,开始号啕大哭。不管是否悲伤,号啕是哀悼的一种惯例仪式。大家揭开白纸,看上最后一眼。最后芬洲进来,请求岳母不要哭了,并和她们讲起妻子死前的病症。

这时,请来了一位和尚。和尚拿来一棵树,树干倒在地上,树枝伸向四周,上面有点着的蜡烛。和尚念经时带茂衡绕树一周,除芬洲外,家里的其他人也轮流转一圈,每人绕树时,其他人站在边上哭泣。传说这种仪式和烛光可以帮助灵魂到达阴间,不致迷路。

大厅里的布置与平时不同。红帘、红灯、红纸、红对联都换成白的,不能有一点红色。红色表示吉庆,白色表示哀悼。

第二天,三个儿媳妇给死者洗脸、穿衣,准备下葬。衣服的件数必须是奇数,七件上衣、五条裤子,外面一件绣花长袍、一条漂亮的裙子。穿衣时,遗体要搬到后厅去,"灵桌"也搬去。

事先准备好的棺材搬到后厅,棺木里面要先贴纸、涂油防潮,垫上褥子,四角放入各种纸钱,称为"棺纸"。收棺的时间由占卜者来定,占卜者靠计算得知吉凶。

张太太的尸体入棺前,她的侄女——茂月的大姐回来,举行另一个重要仪式。她从张家门前的河里取来一小瓶水,拿一些纸钱放到水里,用湿纸在尸体上擦三次。这个仪式通常由女儿来执行。但由于黄氏无女,因此由侄女代替。

尸体入棺时,芬洲把全家人叫到后厅,亲戚们也都在场,妇女们再次恸哭。

黄昏时,后厅里气氛悲沉、烟雾缭绕,每人拿几根香,香是特制的,比普通香粗而长。烧香不仅是一种仪式,而且可以消除已在热天中陈放了两日的尸体发出的臭味。厅里黑黑的,笼罩着烟雾,人们相互之间几乎看不清。

芬洲指点着封棺,茂衡抱住头,三个儿媳妇抱住脚,他托住身子,把尸体放入棺内,黄氏"枕"在一个鸡形枕头上。

茂衡找来一个木匠,盖上棺盖,钉上钉子。钉钉时,所有人都跪在地上。和尚一直在场,他把圣水从大厅一直洒到后厅,以驱逐邪气。

死者的亲属都穿上丧袍,戴孝根据与死者的关系分五个等级,以戴孝的时间长短不同加以区别。茂衡作为儿子和哀悼的主持人,要戴孝三年,孝服不得缝边。他戴一顶帽子,穿一件长袍、一条裤子、一双鞋,都是用白布做的。此外再戴一顶帽子,上面有三条麻编的辫子,穿一件麻布袍,白鞋上缝一块麻布,外衣也不能缝边。腰里系一条麻绳,手持一根哭丧棍。如果死者是父亲,就持一根竹棍,现在死者是母亲,所以就用普通木棍,涂上红、白色,一头拴上三层白纸做的幡。

收养的孙子穿同样的孝服。一般情况下,孙子只戴一年孝,表示第二等关系。然而这个孙子穿第一等的丧服,表示代替他死去的养父茂魁。茂魁是长子,如果活着,应是丧礼的主持人。

第十章 芬洲的命运

三个儿媳妇也穿一等孝服：麻衣、麻裙，但不持哭丧棍。旁系的男女亲属和其他家族的亲戚穿其他三个等级的孝服，也穿白布衣，但只穿九个月、五个月或三个月。

失去妻子而感到最为悲痛的芬洲不戴孝。这同留下的古老传统相矛盾，为重新说明世代关系，证明父亲和儿子、丈夫和妻子及其他亲属在吊孝中的职责。然而现在这种情况，戴孝似乎只是年轻人对年老人、小辈对长辈，即儿子对父母、妻子对丈夫所尽的责任。由于上述原因，芬洲除了自己的悲伤外，没有别的吊孝方式。

芬洲悲痛万分，"风水"似乎不好，使他转而受苦，他变得悲观厌世，孑然一身，越来越消瘦。

抽烟、闲散不能解决他的问题，如果他为死去的妻子准备和举行所有的纪念仪式，多和大家接触，也许会感觉好些。但是芬洲把事情都交给了儿子茂衡，他自己总是与家庭的其他成员有距离。

茂衡每天早晨和下午在"灵桌"前拜两次，一次是日出时的晨祭，另一次是傍晚的拜祭。棺材放在后厅的两条长凳上，"灵桌"后面放一个"灵龛"，灵龛是一个竹框糊上纸做成的，张太太的照片贴在龛中央纸上。灵龛下放一个小竹凳，凳上放一双她的鞋和一根竹枝，枝上绿叶伸向灵龛内，竹枝尖端拴上一条白布带，中间打结，下垂分为两股。这条带子是灵魂的标志，是特殊的圣物。灵龛前的灵桌上摆着更多的东西：一只碗、一双筷子、一面小镜子、一把梳子，以及原有的"阴间灯"和"灵钱"。

茂衡跪在灵龛前扔"灵钱"，询问灵魂有什么要求，三个儿媳和孙子跪在他后面，手里拿着香。这种仪式要持续100天，在此期间，茂衡和孙子都不能理发。

此时，大厅和后厅间的隔板墙被拆掉，挂上一个大白帘子，称为孝帘,上面有朋友和亲戚送的各种挽联和对联,较重要的亲戚的东西贴在中央,次要的贴在两边。

黄太太和大哥几乎天天从金翼之家来这里,帮助料理家务、参加悼念活动。大哥是秘书和司库,在院子里放张桌子,负责收礼、发布通告。

人死后第六天举行一个仪式,叫作向阴间报告死者情况。村民们认为,第六天以后死者就不会再回来了,必须向阴间报知。和尚带着两个助手也来了,把大厅装饰成阴间的宫殿,周围贴上神像,宫殿中央放一个纸屋,屋里有一纸制女人,代表黄氏。还有男女佣人,两边放一些奇怪的东西,都是用竹子或纸做的。有一头水牛和一匹马,但均有人的身躯并带翅膀。茂衡穿着麻布衣,打着一个大幡,跟着和尚穿过宫殿。在这过程中,有锣鼓伴奏。

次日拯救灵魂的仪式开始。每隔七天举行一次,直至第49天。和尚仍是主要表演者,悼念的人也来参加。

在这之后,张家印出一纸讣告发给亲属、朋友、邻居和熟人,通知举行公开吊唁的日期。接到讣告的人可以如期来向死者家庭表示哀悼。

举行吊唁的这一天在张家有一个大的聚会。东林作为死者兄弟前来参加。他带着全家,在张家门口受到迎接,以茂衡为首的哀悼者都穿着孝服,向前来的人下跪。

东林进大门时,看到门两边挂着两个圆形的灯笼,这向外界表示这家正在吊孝。门上挂着三个纸宝塔,是死者的亲家——三个儿媳的父母送的。"亲家"指两家儿女相婚配的亲戚关系。

东林跨进门槛后,张家的长工培明出来迎接,给他一件白布衣,东林马上穿上。他走到搭着白布棚的院子,布棚里放着朋友和邻居送的一些礼物、香、爆竹、纸钱、纸锭。墙上挂着更多的挽联、对联,地上摆着纸屋、纸马、纸牛、纸轿、纸箱等,以及各种纸钱。这些都是供物,通过焰火转换,送到阴间,这些物质援助用烟送给死者灵魂。

东林到大厅看望主持仪式的云生。为了表示敬意,东林对死者下跪、叩头,然后他到芬洲的房间,两个姻亲兄弟又见面了,他们谈论家里的事和商店的生意。一会儿茂魁的遗孀端来了面条和炸鸡蛋。

大门外通报说又来了一位尊敬的客人,客人是王立阳,惠兰的父亲,芬洲的亲家,他也穿上白上衣,由走出来迎接他的茂月陪着,叩念着。进行仪式时,立阳下跪、叩头。茂月跪在客人旁边,表示陪伴。他们跪的垫子分三行,第一行为白垫、第二行蓝垫、第三行红垫,表示三种关系。亲家跪在白垫上,较远些的亲戚和朋友跪在蓝垫和红垫上。

立阳站起身来时,有人抬开孝帘的右角,在帘后边,以茂衡为首的哀悼者向他鞠躬,表示感谢。

仪式以后,立阳被邀请进芬洲的房间,三个老朋友相互问候。芬洲面色苍白,十分悲痛。立阳和东林劝他保重身体,不要过于悲伤。

下午,来了更多的客人参加仪式,一个个进入大厅。快到晚上时,摆上桌子,招待所有亲戚、朋友。

不管参加者感觉如何,这种公开吊唁活动都要举行,多数人愿意参加。吊唁时不号啕或哭泣。这种聚会可以加强人们之间的社会纽带。举行这种仪式完成了活人对死人,以及所有人对死者家属的责任。这种传统一代代传下去,才不断更新着社会成员间的组合。

在第六个七天也就是张太太死后第 42 天,举行一个"供第六个七期米"的仪式,供品有装米的木盘、一壶酒和一碗羊肉,并陪伴着烧纸钱的焰火。大家迷信地认为,直到这一天摆米供,死者才会知道自己的死。

当天晚上,和尚进行一种称为"鸭过河"的仪式,用竹子和纸做的一只鸭子放到盘子的水中,鸭子旁放一个蛋壳灯。蛋壳中灌上灯油,灯的四周是竹叶。和尚在锣鼓声中慢慢地把鸭子推过水面。这种仪式是根据古老的传说,认为妇女过河时,她的灵魂是在鸭子的帮助下才得到拯救的。

第 49 天,和尚主持仪式的最后一天,张家要举行一系列活动。第一个仪式叫"冲出地狱"。人们搭起一个"阴间宫殿",从大厅一直延伸到前院。和尚在大厅中间竖起一个用各种绣花绸布、灯、烛台、木制及金属制偶像装饰成的祭坛。和尚穿着礼服,戴上莲花球形的帽子。他坐在祭坛的正前方,右手拿一个铃,左手拿一只号角,左右两边各站一个拿着乐器的助手,一个拿木鱼,一个拿铜铃,不停地敲击,意味着具有特殊的威力把灵魂从地狱中拯救出来,送进天堂。他们每过一段时间,连续诵经,以乐器伴奏。祭坛前还摆着几张桌子,上面摆着各种精美食物作为供品。茂衡穿着孝服不断地添香,哭泣着叩头,请求死者灵魂吃喝。最后和尚站起来,拿一把刀打破地上一个瓷碗,碗内盖着一个纸做的人形。这动作意味着地狱的墙壁被推倒,灵魂被拯救出来。

第二个过桥仪式是在午夜间举行。大门里面的院子里放一座木桥,桥有 10 英尺长、3 英尺半宽、3 英尺半高,桥面和两边用白布盖住。桥上搭一个白布天棚。和尚举着白布幡,带着茂衡,一步一步伴着音乐过桥,手里捧着死者的纸像。三个儿媳妇和孙子成春拿着死者的男女佣人、马、牛的纸像,跟着茂衡过桥。在这过程中,音乐奏得越响越好,以便于帮助灵魂过桥,抵达另一个世界。粉碎邪恶的妖怪试图把灵魂推入水中的企图。

第三个仪式是供给灵魂钱和物。纸做的房子、谷仓、佣人、动物、工具、金钱、元宝及其他值钱的东西被烧掉,作为送给死者的礼物,这个仪式在大门口外进行。

这些活动结束后,张家逐渐回到日常生活状态中。自张太太死后,一系列费时悼念的仪式以递减的速度继续着,使活着的人能渡过这一阶段,开始适应新的生活。虽然死者的遗体仍放在后厅的棺材里准备埋葬,但是家里人逐渐忽视了它的存在。有时芬洲穿过大厅,注视棺材片刻,然后总是伤心地离去,他回忆着他曾和妻子、三个儿子搬入新房时的富裕日子,现在只剩下他和儿子茂衡了。当初他曾期待着这块"龙吐珠"的宝地能使他交好运,结果是事与愿违!他开始觉得是恶神败坏了他的"风水"。

起初,芬洲与东林的生活方式几乎完全相同,然而结局却截然相反。

第十一章 求学雄心

三哥现在是英华书院毕业班的学生了。他的父亲总是催促他结婚,但是他拒绝由他父亲来为他选择对象。自由恋爱成婚成了他第一个志愿。东林常在城里往来,对当前流行起来的所谓自由恋爱也颇有所闻,因而不便施加权威强迫三哥结婚。

在福州,三哥钟情于一位名叫陈素珍的女孩,她是华南女子教会学院的学生。三哥曾两次写信给她寻求友情,但却没有回音。她不仅仅是矜持,按照当时自由恋爱的惯例,如果她回了信,则表示她有意与他订婚。当三哥又写了第三封信时,也给他的结拜兄弟香凯带了个信儿,香凯是素珍姑丈林祝同的好朋友,这样素珍在她姑丈的劝说和指导下,给三哥回了信并接受了他的友谊。很快三哥便向她求婚,接下来便是由香凯和祝同去向两家说媒了。

两个家庭很快做出了安排,为两个年轻人订了婚,最先一个仪式是男女双方交换订婚戒指,这在村里还是个创新。

那年冬天三哥和素珍都毕业了,父母们便为他们安排了婚事。素珍坐着新娘的花轿由一队吹鼓手护送而来,在婚礼的过程中她头戴新娘挂冠和面纱,当按照程序她被安排和新郎并肩坐在床边上,以便一对新人第一次面面相视时,新郎却打破传统的沉默与她交谈起来,并且在整个婚礼中他们都侃侃而谈。这使得身旁的伴娘和围观者颇为惊诧,他们从没见过一对新婚男女第一次见面能在外人面前随意谈天。

当这对新人要向家族长辈行礼鞠躬时,玉衡叔祖被请来主持这个仪式。祖母潘氏是第一个接受行礼的人,其次是黄东林夫妇,他们并排而坐,欣慰地接受长子长媳鞠躬。接着是伯母林氏、玉衡、东千、大哥,等等。这个仪式相当重要,持续了很长时间。

向那些年纪和辈分比新郎大的亲戚叩头,是新婚夫妇的义务。这些亲戚包括所有的亲近的家族,即新郎宗族内外的近亲及本族内的长者。他们受礼的次序是从年长到年轻,从近亲到远亲。

但在这个仪式中三哥却没有向二哥行礼。尽管二哥比他年长,是他的堂兄,并是同一家里的成员。这是有原因的。当初东林没有参加二哥的婚礼,这使宾客们大为吃惊。作为一家之长东林应是第一位接受行礼的男性,然而他避开了礼节,这对二哥显然是个侮辱。

后来二哥明白叔叔的缺席是有意让他丢脸。原因是以前有一次二哥对叔叔表现了无礼的恶劣行动。因受叔叔斥责,二哥认为很不公平,愤而抓起一把砍柴刀去追他。东林虽没有受伤,但这种用刀攻击长辈的行为,使他永难忘怀。

二哥和东林之间的紧张关系影响到他和所有堂弟即东林儿子们的感情。后来直到四哥、五哥结婚,向二哥行礼总是被忽略过去。几乎20年后二哥的长子少培结婚时,彼此的裂痕才弥合起来。东林和他的儿子们被邀参加婚礼,愉快地接受年轻侄子的磕头行礼。大家终于都忘却了以往的争端,重新开始了正常的关系。

三哥的婚礼是黄家所举办的前所未有的最大的宴席,摆了24桌酒菜,邀请宾客们依次就座。东林的那位曾在很久以前的诉讼案中帮过他忙的舅舅出席了婚礼,被邀请坐在最显耀的席位上,也就是正厅左边最里边的一桌。黄太太的养弟郑安齐坐上第二个最显耀的位子,即大厅右边最里面的那桌。伯母林氏的兄弟也被请来坐在第三把席位上,在大厅中央的一桌。其他的朋友像芬洲、一阳、立阳、卢国以及湖口镇其他的店铺老板也都被请入上宾席。

黄家村每户人家至少派一男一女来参加喜宴,他们也代表主人、主妇,招待外族的亲戚和朋友。男女宾客分开吃饭,男宾桌设在正厅、天井和前院;女人则在后厅和后院三层的厅堂里吃饭。

三哥的婚事就这样祥和地结束了。没有再发生什么事扰乱村里平静的生活。只是到了第二年的夏天才发生了一件意外的事情。

他们的婚礼是在寒假举行的,夏天新娘子被她母亲叫了回去。妻子走后三哥觉得百无聊赖,便随着五哥去邻村赌博。晚上黄太太让四哥去叫他们回家,但这些赌徒正在兴头上,所以四哥也留下来围观。当第二个传信人小哥也来到这里时,也被哥哥们留下。

天已全黑,传信儿人没有一个回来。黄太太越来越惦记她的儿子们,她带了小女儿珠妹离开家,并走上西路。在回来的路上母女俩遇到了玉衡,第二天这位老叔祖从头到尾把这事告诉了在湖口店里的东林。

次日,东林带着满脸怒容回到家,刚一进门就抄起一根大木棍朝正要起身迎接父亲的三哥打去。沉重的木棍打在三哥肩上,但他没有躲闪,只是静静地淌着眼泪。

东林边打边咆哮:"你这个不孝的儿子!你已是年过二十的人,一个英华书院的毕业生,而且是个刚刚结了婚的男子汉!和村里的一群无赖一起赌博,你就不觉得羞耻么?我们管教你有什么用!你的责任心哪儿去了?你难道不在意母亲的感情?不知道她派了多少人去叫你?你竟敢让她黑夜出去找你?你竟敢让全村人都来嘲笑你的无耻？你就不能给你的弟妹晚辈做个好榜样？你作为我们家里的一员该多么丢脸！你作为全村唯一受过教育的人该多么丢脸！"

东林不停地咆哮着，但三哥没有回答一句话。黄太太跑进来试图把木棍拿开。她劝阻东林："你用这么重的木棒，打得这么厉害！"黄太太现在年岁也大了，她的地位使她更敢于干涉丈夫对儿子们的惩罚。

东林正在盛怒之中，转过来责备妻子，喊道："都是你的错，你把你的儿子一个个都宠坏了！"

"这怎么是我的错？"黄太太回答，"孩子们都成年了，应该和他们谈谈，给他们忠告。用一根大棒子打他们有什么用处呢？"

但是这位父亲仍不满足，仍继续他的大声说教。后来他突然想到另一个儿子五哥，问道："贼头哪儿去了？"五哥是一个难管教的孩子，很少在家里干活，而把时间都花费到和村里的无赖们鬼混、赌博和撒野上去了。东林经常处罚他，把他叫做"贼头"。这会儿听说哥哥挨打，五哥早就溜到自己床上，用毯子把头蒙上。但是父亲并没放过他，抓起他狠狠地揍了几巴掌。母亲又赶忙跑进来阻拦这边的喧噪。

当东林回到大厅时，三哥已揩干泪水但仍沉默不语。四哥和小哥没有去赌博，所以没有挨打。他们目睹了这一幕吓得不敢作声。紧张的空气这时也缓和了一点儿，但小哥仍十分恐惧。四哥就指着他开玩笑地说："现在该轮到这个小赌徒了。"小哥顿时大哭起来。本来这位哥哥是想借此打破这种沉闷的气氛，小哥可并没理解他的意思。小哥的哭声连带着引起小珠妹也哭起来，这种景象把大人们都逗笑了。东林于是走过来安慰小哥。父亲重又现出了和蔼的面容,于是其他人也都渐渐松了口气,家庭生活又恢复了正常秩序。

由于在现代学校中受了教育,三哥就不能再回田里或店里去干活了,他的志愿是去谋一个教书的职位。很幸运,延平市里的一所高中给他提供了这样一个位置,这个城市离湖口镇约有55英里上行水路。这次机会是在那次赌博事件之后不久,三哥离开家乡在那儿住了两年。他带着妻子同去,在那里生了个儿子,取名少扬。他自己的小家庭仍然是大家庭的一部分,尽管彼此分开居住。三哥的收入不足以维持他及夫人、孩子的生活,他仍依赖父亲接济。

东林的这第一个孙子少扬的诞生,给家乡黄村带来了巨大的兴奋和快乐。尽管小家伙还在延平,黄家仍为他举办了一个盛大的满月庆典。同族人、邻居及朋友们被邀来聚宴。人们把这次与为小哥做满月那次相比较,当时只有家里人和几位亲戚相聚,每人一碗面条。而随着时间的推移,现在黄家能够为孙子办盛大宴席了。

在延平待了一年,三哥就请小哥和素珍的小弟弟陈溪湖加入他们的小家庭,于是小哥俩就在他那儿的高小就读。

第三年的夏天,三哥留下小哥和溪湖在延平,把妻子和孩子送回了家乡。然后独自一人前往福州进大学深造。而这一去不想又成为整个家庭生活中一个重大事件的契机。

他从湖口乘帆船出发,在水口换乘轮船。从这里顺流直下首府福州。在机轮行驶到离水口约20英里的一处狭湾时,天色黑下来了。突然甲板上传来一声枪响,船上乘客都大吃一惊,到处乱跑。接着沿江两岸枪声大作,子弹像雨点般落在大船上。

第十一章 求学雄心

这时三哥正在船舱里睡觉。叫声和枪声把他从睡梦中惊醒。他刚睁开眼睛,只听右耳边一声呼啸,一颗子弹打穿了他垫作枕头的箱子,离他脑袋仅差一英寸。后来他曾把这个弹孔拿给母亲和老婆看,她们吓得张大了嘴呆若木鸡。

轮船停了下来。一些小船载着身穿黑衣头戴竹帽的人从两旁靠拢上来。这些人都带着枪,腰间捆扎着子弹带,他们就是土匪。

当这帮人爬上轮船后,他们的头头用枪对着舵手的脑袋,命令他把船靠拢上岸。一些土匪把住船上的通路,另一些开始搜寻金钱和贵重物。戒指、手表、耳环、项链及衣服等凡是适于他们口味的统统都要。乘客被搜身后被命令站到旁边去。

搜刮了所有的钱财之后,土匪又挑出了十个从外表服饰来看被认为是有钱的乘客,三哥不幸成为其中之一。这十个人将被带走当作人质。随后,土匪头子打了一声口哨,这帮人随之离船而去,留下无助的乘客和几具尸体在身后。

三哥被迫跟着这帮土匪在黑暗中爬上山冈。当他们到达一处山坡的陡壁时停了下来,这些抢劫轮船的土匪与守候在森林中的另一伙土匪交换了口令,前一伙的头头便召唤森林中这一伙的头目。听到了那边的回答声,三哥觉得这声音很熟,便哭出声来请求他们放了他,并分辩说他只不过是一个穷学生。留守的土匪首领下了一个命令,说:"抓一个学生来有什么意思?快放他回去。"

三哥听到这个命令,又鼓起勇气请求首领将他在船上被抢走的结婚戒指、手表和皮外套还给他。但这个首领只简单地劝他别再自找麻烦,温和地告诉他在黑暗中找他的东西是非常困难的。

在走回岸边的路上,三哥肯定了这位把他从绑架中救回来的首领,即刚才声音听着耳熟的那个人,恐怕就是他的拜把兄弟陈香凯。但在他看来非常奇怪的是他竟然当了土匪头,以往他曾胸怀大志。三哥记得香凯当初不愿再继续受一般教育而离开了英华书院,进入了一个中国北部的军事学校,毕业后回到福州,极想在军队中谋一个职位,但没成功。当三哥跌跌撞撞又回到岸边时,他终不能肯定这个印象,还是将其留在记忆中以备将来验证。

终于到了福州。三哥注册成为福建协和大学的学生,在这里他待了两年多。每年寒暑假他都回村里来,他的妻子和孩子生活在黄家的大家庭中。素珍作为新娘子,头三年本应为全家烧饭,然后与大嫂、二嫂轮流分担煮饭。但她从来没有学过做饭,她的脆弱和所受的教育使她免去了这一义务。因此烧饭仍一直为大嫂二嫂担负,而她们自然深为不满。最后两位嫂嫂的丈夫把这事反映给东林,为了解决这个问题,东林立刻替四哥买了个媳妇。四嫂是个典型的乡村妇女,长于烧饭和家务劳动。

素珍就这样成了黄家的三嫂。她发现自己很难适应黄氏大家庭的生活。起先东林对她十分垂爱,骄傲地告诉别人,他的这个儿媳妇的文笔比他的受过教育的儿子还强些,并且认为她对长者的态度既礼貌又孝顺。但当其他女人不断抱怨时,东林对她的钟爱也就不能持久了。

黄家的日常生活,每天开始得很早。庄稼人黎明起身,吃完早饭就下地干活了。但素珍从来起不早。当她终于带着儿子来吃早饭时,男人们已在地里干了几个小时活了,妇女们也已做了许多家务,像刷盘洗碗、喂猪喂鸡、洗晒衣褥等,而老祖母早已去远处拾猪粪去了。素珍这种晚起的习惯使得全家人都不喜欢她,她自己对此也颇有些难为情。

她从不像别人那样到河水边去洗衣服,这对她来说是一种丢脸的事。她只在家里洗衣,并且得用农人辛苦挑来大量的水。他们也同样抱怨她用这种方式用去那么多的水。此外,素珍又很不习惯这里的饭菜,蒸饭她嫌太硬。老祖母一日三餐,这种米饭尚觉适口,而她这种年纪的人却挑剔,使得大家更为讨厌她。

所以,像素珍这样一个在自己的天地里颇能进取,又受过良好教育、举止文雅的女郎,却终不能适应黄家生活。这是她的背景和以往的训练使她这样的。当她和丈夫在延平过小家庭生活时,她是很快乐的。但在农村,一个纤弱而有教养的女人却没有什么用。村里人只知道妇女应是体格健壮、勤于劳作、烧饭、顺从传统生活方式以及多多生育。

一年夏天,三哥带着妻儿去拜访住在古田县东路地方的岳父母。素珍的父亲是位基督徒,兼任传教牧师。她的姑丈林祝同也是位牧师,当初三哥因婚事曾请他作媒,因此两人关系很好。在岳父家里三哥遇见不少牧师和教会人员,这些人都是基督教事业的活跃分子。

素珍的父亲建议女婿去竞选教会代表,这样可被送到美国接受更高深的教育。三哥对此很感兴趣,因为能使自己去海外学习的夙愿得以实现。于是他开始去拜访各位牧师和教会中的重要人物,争取得到他们的支持。

这年秋天,美以美教会在省城福州举行年会。各地区来的牧师和教会代表聚集一堂。他们的主要任务之一是推选两位牧师和两名教会成员作为代表出席在美国召开的一次大会。这几个代表的开销由教会预算支付。

牧师的代表由所有牧师选出。教会代表由所有教会成员的会议代表选出,他们来自各个教区,每区派来两名。得票最多的两名会议代表将成为出国代表。

这次年会召开时，小哥正是英华书院预科班的学生。他被湖口教会推为代表，作为他哥哥的支持者。事实上小哥还没有资格参加投票甚至出席会议，因为他的年龄差得还远。教会规定的年纪是至少21岁。所以当小哥入场时，一位蓝眼睛的传教士询问他的年龄。小哥微笑着回答说他刚好21岁，并且已有了一个六岁的儿子。蓝眼睛传教士怀疑地笑起来，但当他看到一份地区教会证明时，还是让小哥进去了。很幸运，三哥在会上被选为两名出国代表之一，那些投他票的人被邀到一家饭馆，在那儿举行了一个大宴会。

这次选举对黄家来说确实是一件重大消息。东林立即再次发出请帖给家族、亲属、邻居和朋友，邀约他们来金翼之家参加这个盛大的庆典。宾客纷至而且带来许多钱、物等庆贺礼品。黄氏宗姓也从祖田的租金中献出一笔钱，作为这位黄氏兄弟进一步深造的奖学金。

金翼之家现在处于繁荣兴旺的顶峰。三哥的成功使他成为古田西路区所有人中受过最高教育的人而声名大著。他的成功也给他的家族和整个黄姓宗族带来了荣耀。出国在乡间世界看来是相当了不起的事。回国的留学生形成了一个特权阶级，三哥从海外归来肯定会成为一个了不起的人。黄家和村里人都热切盼望着他们的儿子早日衣锦还乡。

第十二章 分裂

自从诉讼案件以来,金翼之家的家务逐渐由大哥管理了,特别是在农事方面。但是他并不像他的叔叔一样是一个成功的管理者,他总是板着面孔对待下属。他很少和他们聊家常,只满足于粗暴地发号施令。最厌恶并且反抗他的支配的是他的兄弟二哥。二哥在家里也有一个相对特殊的地位。他性格乖戾笨拙,当初曾拿着刀子追赶他的叔父。大哥二哥之间冲突不断,而且往往是开始彼此恶语中伤,很快演化成拳脚相加的殴斗。他们之间的争吵,也导致了大嫂和二嫂之间的不和。

大哥和四哥之间虽然还没有公开冲突,但他们的关系也很不融洽。大哥不断逼迫四哥去干越来越多的农活,理由是既然三哥花费家里的钱去念书,四哥就应该加倍干活去弥补这个亏空。

后来五哥也到了能到田里干农活的年龄了。由于他是家里景况好转后长大的,所以没有被立刻叫到地里去干活。这样他常和村里的一帮年轻人混在一起消磨时光。只有当东林回村来,五哥才被迫受命下地干农活,而一旦父亲离家,他便逃之夭夭。每当大哥看见五哥溜号,他也甩手不干,以示抗议。

金翼之家的兄弟及堂兄弟们同家里的老长工南明的关系都很好。南明是位辛苦劳作而有经验的庄稼人。有一次他看见四哥和五哥在田里打架,便赶过去要拉开他们,劝他们住手。大哥当时也在场,但他却赶快对老长工说:"南明叔祖,他们打架你能损失什么?让他们打吧,咱们饱饱眼福呢!"身为长者,大哥对待堂兄弟们的态度是如此卑劣,不是去劝阻他们殴斗,反而把它当笑话,鼓励他们继续打。结果很快他也遭到报复。当轮到他和唯一的亲兄弟二哥动手打起来时,南明要去干涉,四哥却拦住老人,以大哥上次的口气说:"南明叔祖,他们打架能少了你什么?让他们打去吧,咱们也开开眼。"为了不再给人当笑话,四哥决定再也不和五哥动手了,但他们的关系在其他方面并没有什么改善。

东林对这些兄弟及堂兄弟之间的纠纷几乎了无所知,但他倒是常听大哥抱怨,大哥不喜欢干庄稼活儿,请求他叔叔让他到店里谋个伙计的差事。在店里开头几年大哥工作勤奋,也乐于听从叔父的指教。他成为一个十分称心的助手,有时候也能帮助写写算算。就这样他得到了很好的训练,但是东林认为他经营农活更有用处,于是还是再次把大哥留在乡间。

大哥现在完全可以自立了。他不再理会叔父要建立一个更庞大更富强的家族的愿望,而开始提出应该马上分家。这样他可以得到财产的一大部分并建立起自己的家业。大哥是东明的长子,当然也就是长孙了。由于有长子继承权的规定,在分家时第一个出生的儿子在法律上有权得到共同财产中的额外部分。再者,三哥和六哥的学费是家族收入的一大笔开销,这不能不使大哥分外忧念,经常向叔父抱怨。除了所有这些原因外,大哥现在变得越来越依恋于大嫂和他的三个孩子,他希望能生活在自己的平静的小家庭中。

最后,大哥分家的要求变得特别强烈,以致大家不得不将就他了。他找来伯母林氏的一个远房侄儿林天蓝作为分家的仲裁人。

第十二章 分裂

严格地讲,按习惯法天蓝做仲裁人并不合适,任何兄弟分家,通常只有舅舅才是最合适的仲裁人选。而理论上这次分家本应是东林和他死去已久的哥哥东明之间的事,如让天蓝来仲裁就带有很大片面性的,因为天蓝是东明妻子的族人,他对当事的兄弟双方并不具有同等的关系。然而天蓝是大哥的亲密朋友,大哥坚持要他来做仲裁人。

在商议分家时,东林力求公平。但大哥要求得太多,以致在几个问题上发生了冲突。第一件争执的事就是关于祭祀东林父母的那块土地。东林希望这块处于金翼之家山坡下的土地留出来作为公共祭祀用地。但大哥想把它据为已有,强辩说这块土地是他父亲东明买的,因此根据长子继承权应该分给他。双方各持己见,天蓝发觉居中难以调解。东林据理解释说,这块地如此靠近住所,本应属公有,以便两房人都可以用它来种植日常所食用的稻谷、蔬菜、甘蔗、豆类及芋头等。如果把它分属一方,另一方就感到很不便利,他们没有就近使用的土地来提供日常食物,特别是蔬菜。天蓝也觉得这种说法十分合理,就让大哥重提一个另外的要求。最后大哥提出要以付出1000元钱来补偿他的这个长子继承权,东林只好被迫接受。这块土地就这样保留下来作为公用地或祭祀地,但直到祖母潘氏去世,这块地上从没有举行过任何祭祀,而是由双方轮流耕种。

第二个争执是关于五哥和六哥的婚姻问题,他们是年轻一代中仅有的两个没娶亲的男子。按传统应保留两份钱或其他财物作为他们将来的结婚费用。大哥却提出如果给他的两个堂弟留这份财产,也得给他自己的儿子少台留出一份婚费。这个要求显然是非常不合理的。接着他争辩说六哥已经把自己那份花在念书上了,无权再多要一份。只是经过仲裁人在中间大力调解,叔侄二人才终于同意只为五哥婚事留一份财产。

第三个冲突是关于家中的存款,东林同意双方分家分居,各自另起炉灶,以便减少这样一个大家庭的内部摩擦。但他希望全部存款能保留完整,以便处理事务更有效力。但大哥生怕三哥和六哥要花更多的钱去求学,坚持要把本钱分开。最后还是决定分掉所有的钱,只留1000元作为同一目的的公用资金,比如修理房屋、共同赋税、老祖母将来的丧葬费用等等。

第四个冲突是处理湖口店铺的股份问题。我们还记得黄家在店铺中有四份基本股份,大哥要求平分这些股份。但东林作为店铺的创建人和所有者,有权坚持为自己保留多一些股份。在很久以前,当这个家族初次陷入穷困的那些日子里,他早已把他一生辛苦经营店铺所得到的钱和财产,花掉一半去拯救挣扎在饥饿之中的侄儿们了。现在他自己保留两份半股份,仅给侄儿们一份半,大哥对这种安排极为不满。就这样,老人的固执为将来进一步冲突播下了种子。

当所有的争执点都得到解决以后,黄家便选择一个吉日举行分家的仪式。仲裁人林天蓝必须到场;东林的叔父玉衡,作为整个黄氏家族的长者及东林这一分支中的仅存长者,也必须出席。此外,这一宗族各个分支的不少长者也都被邀参加仪式和餐宴。

长者和仲裁人汇集在金翼之家的正厅里,由玉衡写一篇分家的契约。为区别两个新的家庭,各取了一个名号,从东明传下的这一支叫"文房",从东林的这一支称"武房"。于是玉衡先写出了这个传统法律文件中的头一部分:先叙说分家就如同水的同源异流及树木的分枝一样是很自然的事。然后谈到这次分家的历史

第十二章 分裂

背景。

在契约的第二部分,玉衡记述了祖先公地和其他财产的分配、它们的价值和位置。接下来他分别列出"文房"和"武房"的田产,东林和大哥当着证人和长老们的面抽签,许多块地就这样均分了。山地、树木、森林、池塘及道路也同样均分,也由双方抽签选定。后面则是关于房屋、建筑及房间的一长串的记载。居住区和住室在黄家搬进这所房屋时已划分定了,目前是需要增设一间厨房以适应分灶而食。厨房、餐厅、谷仓、仓库和田间小屋都被平分了。但是家具和手头现金在契约中没有提到。

契约的最后部分是分家日期和双方签字,同时还有仲裁人和契约证明人的签字。

契约办完之后,一些个别事务仍然要在仲裁人和长老们面前处理。所有的家具都抬到正厅按抽签分配,但妻子们的嫁妆一类的个人财产不包括在内。

仪式的最后一部分是将两个木制的锅供奉在祖先的牌位前。锅里盛着蒸熟的米饭,象征富庶。东林和大哥作为两个分支平等世系的家长,在祖先牌位前跪下,然后各捧一锅回到各自的厨房。就这样各自的炉灶立起来了,终于分家了。当晚人们设宴,待若上宾的是这次分家的仲裁人和证人们。

第二天早上,两个新灶各烧各家的饭。老祖母则轮流到两家吃,头三天在"文房"家吃饭,后三天便到"武房"家,大嫂和二嫂按月轮流为大哥做家长的这个家庭烧饭;而东林这边,就只有四嫂一人操办了。祖母潘氏年事已高,不能再做任何事,但她仍然颐享天年。平常午饭后她总喜欢拄着竹拐杖走到老家去,和那里的老妇们闲聊,由那边家里的年轻妇人侍候着啜茗呷茶,消磨大部分的时光。

然而大哥对这次分家并不满足,他开始计划和他弟弟二哥再分家。大哥亲密的朋友天蓝再次被请来做中人。但当他们把计划交给东林看以征得他同意时,东林觉得,按字面所列兄弟俩的财产划分是太不公平了。照这项计划,四分之三的财产将归大哥所有,只有四分之一财产留给二哥,这种在长子继承权名义下所提的要求也太过分了。更有甚者,大哥长子少台的结婚费用也列于其中。仔细看过这份单子之后,东林十分生气,责骂大哥为人太没良心。他把单子扔到一边拒绝再考虑这事。

此后不久,大哥回到了黄家村着手安排和二哥分家,但由此立刻引起了兄弟俩之间的严重冲突。二哥往常惯于缄默不语,现在再也忍不住了,破口大骂,将以往的宿怨统统倾泻出来。但是大哥不肯做任何让步,于是俩人很快由吵嘴转而大打出手。

有一次兄弟俩在金翼之家的正厅里殴打起来,他们的妻子也彼此互骂。二哥个儿虽小但十分强壮,大哥有些招架不住。眼看打得越来越厉害,大嫂招呼儿子少台参战帮助父亲。拳打脚踢,翻桌掷椅,直到双方都筋疲力尽才停止。

从此以后大哥二哥之间的争吵越来越频繁,而且他们妻子间的冲突也日益激烈。伯母林氏再也不知该如何去阻止他们了。有时,伯母林氏发觉自己就是他们争吵的原因。如果她帮助大嫂,二嫂肯定要抱怨,反之亦然。只要她参加干涉无论是儿子们或儿媳们之间的争吵,得到的只是挫折和伤心。她是一个可怜的老母亲,忍受着她的儿子们的吵闹和折磨。当这对兄弟之间的冲突愈演愈烈时,以某种形式分家看来是必不可免了。但是要调和他们双方对于共同财富的无止境的贪欲却是绝对困难的。

第十二章 分裂

这时三哥还没有出国,那年冬天他刚好回到家里。二哥马上赶来找他,诉说大哥如何自私,要求他来做仲裁人。由于是当事的两兄弟的堂弟,又是思想开明的受过教育的人,三哥被认为是个很好的裁决人,二哥因此可以依仗他的办事公正与无私。但即使是三哥,也发现对付大哥是多么的不容易。他为了要尽可能多地得到东西,简直无休止地变换自己的要求。三哥因此只能毫无结果地和两位堂哥讨论条件。第二年春天,他没有解决任何事情便出国去了。

最后,大哥和二哥终于就分配他们的财产达成了一个协议。再度请天蓝来仲裁,在秋天分了家,但仍留下一堆问题没有解决。他们分了田地、房间、家具和除了店铺里股份而外的一切东西。股份是这些问题中的主要部分,后来拖延纠缠了很长一段时间。在仪式上天蓝和作为证人的玉衡、东林都在契约上签字画押。于是这两兄弟便各起炉灶,分户而居了。只有他们的母亲林氏留下成为彼此间唯一的联系。"文房"分裂为二。

在东林早期奋斗的日子里,他曾备尝辛劳经营他的小店铺并且成为他的那个社会圈子中成功的人。他曾希望维持大家庭的完整合一。他的最终要求在当地人看来是个十分值得赞美而善良的目的。但是家里兄弟之间、堂兄弟之间以及年轻一代的媳妇之间的纷争,使得家庭生活不可能达到他曾期望的那样圆满。他受不住如此多的争吵和抱怨,再也不能制止住这个家庭的分裂了。

黄氏大家庭分裂之后,"文房"又进一步分裂,东林在其中充当了中人和证人的角色。实际上他本应能够明确地预见到这第二次分裂。当他回忆起当初他和哥哥同他们的叔父们分家的情景,他暗自思忖:家庭的历史恐怕就是这样周而复始的循环。如今,昔日分家的当事者之一他的哥哥早已故去，留下日益衰败的一支家族。另外一方，他们的老叔父玉衡，虽然还活着，与东林这一家同时并存着，但却从来没有摆脱饥饿与贫穷，经常得依赖东林的接济。而现在，如果他的侄儿们的关系继续恶化下去，那么他自己的家庭也势必同样分裂为贫富两支。

即使一个家庭分裂了，仍有可能指望以亲族纽带来维系各个分支。东林就是这样希望着黄家的这些新的分支能够像老的支系一样彼此还能联结在一起。比如像玉衡老叔祖，他作为东林父亲家族早已赤贫的那一支的家长，虽然贫穷，但对东林还是很有帮助。正是他在诉讼案中坚定地站在东林一边，正是他陪着东林一起坐牢，也正是他每次兴奋愉快地参加金翼之家的仪式和庆典，为他们增辉不少。只有一次，叔侄俩发生了一点儿不愉快。那次玉衡到湖口的店里来，东林当着老人的面申斥店里的厨子东杜——老人的次子。玉衡当时很生气，当即叫孩子把事儿辞了回家。但是这件事过后也就被谅解和遗忘了。许多年以后，玉衡的长子东恒死于急症，三子又被土匪射杀，当老人奄奄一息躺在病榻上时，微弱地喘着气提出最后的要求：让东林照顾他仅留的次子东杜。

东林就这样看到了在自己这一支逐渐昌盛起来的同时，叔父的那一家慢慢衰微下去。现在"文房"的分裂及大哥蛮横的态度使他为二哥的前途担忧。这种忧虑也为老祖母潘氏分担，她对于世代的兴衰甚至比东林看得还清楚。

祖母潘氏这时已年逾八旬，本来她是很喜欢大哥的，因为他是长孙而且是她亲手带大的。但近来她转而同情二哥，他的无能使祖母对他的将来很不放心。伯母林氏的态度刚好相反。起先她对儿子们不断的争执是站在完全公平的立场上，有时长子欺人太甚，她的同情确实完全倒向幼子一边。但是自从和东林的大家庭分家以后,伯母林氏变得特别偏爱大哥,尤其是他表现出有办法为自己的这个家支捞取更多的财产份额之后。大哥使他母亲确信,没有他,二哥就休想从东林手中分得任何财物。无论如何,祖母潘氏感情上的偏向,在下一个家庭生活的大事中显露出来了。

老太太病倒了。她知道自己活不久了,她暗地里把二哥叫到床前,把自己积攒下来的一点儿私房钱全都给了他,不巧正当二哥在藏钱的黑暗角落里摸索这些钱时,正给为老祖母端茶进屋来的珠妹撞上,因此被她发现了。于是二哥的秘密遗产被张扬开去。

但是祖母潘氏的病危比任何事包括二哥的特殊遗产都重要得多。东林回到家来,发现母亲已很虚弱。当他和她谈话时,她不停地咳着,十分痛苦。东林不断替她擦去嘴里的痰。在她弥留之际,除了在外念书的三哥和六哥,东林把全家人都叫到房间里来。但是即使在这种时刻,当大家都汇集而来时,大哥由于对二哥的特殊遗产妒火中烧,就在临终祖母的病榻前再度挑衅和二哥吵起架来。东林赶忙去制止,但大哥盛怒之下,疯狂地推一个大木箱子,木箱轰然一声巨响砸到地上四分五裂。就在这爆发的巨响声中,老祖母终止了呼吸。在深深的悲哀之中东林低下了头。他本来一直希望自己的母亲能在平静中过世,但在当时情景下他在心中简直无暇去责骂侄儿们。

祖母潘氏去世的消息使女人们痛哭起来,男人们分别去准备各项事宜,金翼之家要再次举行葬仪了。随后的这些日子里,所有嫁出去的女儿都陆续回来了,无论远近的亲戚邻居都前来吊唁。

潘氏有两个女儿。大女儿即张芬洲的妻子,已经去世,所以只有嫁到王姓去的小女儿回来奔丧。但是她回家后的第一件事是询问分家和财产的情况,她直截了当地问东林为什么她没有分得一份家产?东林便提醒她想想她离开家那时的景况,父亲刚刚去世,母亲是个贫困交加的年轻寡妇。但是她在地板上跺着小脚,叫嚷起来,说她同样是这个家的子女,应该有权得到一份家产!东林反问她为什么当东林潦倒入狱的时候她不来索要她的那份家产?这就勾起了东林的一段旧恨,他常想起在他打官司的那些时候,他姐姐多么自私。她从没回村里来过或者捎来任何什么信儿,她的儿子们也都退避三舍,唯恐被牵连。

正当东林和姐姐争论她的那些无理要求时,门外报信儿说潘氏家吊丧的人来了。家里所有的人都出去迎接,以东林为首,人们披麻戴孝,一字排开,跪在金翼之家门前的路边上。

这批潘家的来人共十一个,七女四男,全都是祖母潘氏父亲家的后裔,每一个人都代表与潘家有关的各个支派。十一人中有六人根本没见过祖母潘氏并且与黄家也无甚联系。但由于血亲关系他们必须来参加丧仪履行自己的义务。这批人见到在门前跪迎的主家,也一个个跪下来面对着主人。两群人就这样一齐哭了一阵,然后来者站了起来并且去搀扶主人家,于是大家都站起身来。值得一提的是,三哥的妻子陈素珍也从古田县城被召回跟家人一起吊丧,自从三哥出国后,她在古田女子学校谋了一个教书的职位。作为一个牧师的女儿并且自己也是个基督徒,素珍从来不崇拜别的神祇。但这次她严格地按丧礼规则办事,否则会遭到他人的嘲笑或惩罚。紧跟着别人的样子,她力图使自己和这儿的家庭协调。

一进屋这批潘家的来人发觉东林的二姐非常哀伤地痛哭流涕,一副悲不欲生的样子。他们哪里知道,她的这种表现完全是由于一场激烈的家产纷争所致。

第十二章 分裂

　　与东林的姐姐一样，东明的大女儿来到后便在伯母林氏跟前抱怨，说在她弟弟大哥二哥分家时她什么也没得到！实际上大哥大嫂恨透了她，因为在很久以前大哥结婚时她的丈夫曾使他们出丑。但是在祖母潘氏灵柩前她仍旧很伤心地哭着，表现出一副典型的孝顺孙女的样子。

　　所有来吊丧的女儿当中，东明的二女儿是最令人喜爱的。她回来没有任何要求。她永远不会忘记她是如何被卖到徐家做童养媳，忍饥受饿，而她的叔叔又如何把她挽救出来。按照传统习惯她也在祖母的灵柩前哀声恸哭，但她并非毫无诚意。

　　在祖母潘氏的丧礼中，金翼之家的生活与往常完全不同。这个仪式持续了许多天，举丧的人家与吊唁的客人们借此重新加强了旧有的关系。在死亡所带来的危机打破了生活的常规之后，丧典仪式再一次成为一种团结的力量，重新建立起人们之间共同的感情。

　　尽管金翼之家的丧事使得家里人暂时彼此休战，但是争执和分家的事并没完全平息，这即使在丧礼中也能看得到。正是在祖母断气的那一刻，那俩兄弟的争吵及出嫁的女儿们的要求和抱怨，都说明这家人远不是和谐团结的。

第十三章 店铺分家

在张家这一方面,芬洲的晚年过得十分不愉快。他得到了钱和财富,但它们却没给他带来什么益处。他感到孤独,无论在家或在店铺里都不得其所。当他参加为三哥留学举行的饯别宴会时,不由得再次回想起自己的爱子。茂德不比三哥差。他本也应该走上这条路,但是他早夭了。这个老人的回忆将他带回到往昔繁荣的日子里,那时他是主宰,兴建起自己的房屋,与妻子和儿子们一起生活。现在这所房屋冷落了,只能听见那个年轻的寡妇惠兰悲叹命运的无休止的哭泣声。芬洲的情况愈来愈坏,直到最后直挺挺地躺在他的床上。烦恼和忧虑终于带走了他的生命。

芬洲的去世成了张家命运的转折点。他唯一留下的儿子茂衡继承了他身后的一切并成为张家的家长。茂衡年轻力壮,希望像父亲当初一样能把张家建设得更为繁荣昌盛。丧礼一过,他便着手他的事业了。

和他父亲不同,茂衡并不想留住那位年轻的寡妇惠兰。老人去世后,惠兰越发不像样子,公开宣称如果不放她回家她就自杀。所以茂衡就让她父亲把她带回王家去了。漂亮的惠兰在几年寡妇生活之后梦想着一个新的生活,她变得又快活起来。她的父母也商量着要为她操办新的婚事。

芬洲的两个侄子,茂月和茂桥的命运比起东林的两个侄子大

第十三章 店铺分家

哥、二哥可差远了。张家的这两个侄子不得不去干活,他们根本不可能从其叔叔那里继承到任何财产。茂月和五哥的年纪一般大,彼此是好朋友。他们一同混在村里的痞子、赌棍及无赖群里长大。他们也都想去当兵。但是按照传统的观念,好男不当兵,因而两家也都不让他们去从武。现在,自从叔叔死了以后茂月执意要离去,他的堂哥对他也无可奈何。只留下最小的堂弟茂桥和雇工培明一起务农。

茂衡现在对农活越来越不感兴趣,而是日益注目湖口镇的生活。作为店铺的大股东,他经常到镇里与东林舅父商量生意事。在那儿又遇上了他以前的同伙好友大哥,大哥现在到底还是在铺子里当了一名伙计。由于不满意所分得的股份,大哥怂恿茂衡与他搭档自己另开一爿铺子,摆脱掉东林的控制。他挑拨东林和茂衡的关系,劝茂衡撤出资本重新投资。这两个年轻人见面就秘密商量自己的计划,彼此鼓动着手大干。

这两个年轻人终于又找了另一个能干的名叫朱方扬的青年入伙。三个人决定按东林的老办法开始从事鱼和稻米的买卖。于是两位表兄弟从旧铺中撤出了自己的股份,同时方扬又把自己的股份加入他们一伙。

就这样,一个新店铺开张了。三个搭伙人分了工,大哥和方扬是实际的经营者,茂衡作名义上的监督。方扬还兼任账房。他们又雇用了一些店员和学徒。这家新店铺可谓开张大吉。

茂衡非常满意自己的新生活。他现在奔走于乡间和市镇之间,成了个做事业的重要人物了,不久以后他的妻子死了,没有给他留下任何儿女。他随后就开始计划续弦。由于他这时有个绰号叫"张百万",所以许多人认为他是一个好对象,媒人陆陆续续来到他家里给他说媒。有个可爱的女子为了嫁给他甚至改换了自己的姓,因为族外婚是规矩,同姓的人不得结婚。所以当茂衡发现了这位女子的真实姓名时,他也不敢破坏族外婚的规矩,尽管他对她的美丽非常倾心。

茂衡终于还是挑选了一位年轻的太太。他的婚礼十分铺张,邻居、亲戚、族人及镇里的朋友都来参加。但是新婚也没能使他在家中久留,由于交际扩大了,他经常离家出去,在外边花费大量的时间。

张家再度以兴盛闻名了。芬洲的死使得年轻人有可能去解决家里久而未决的麻烦,比如送走了寡妇惠兰,让不驯服的堂弟茂月去当兵等等。尽管居住在芬洲建起的大房子中的张家人口比金翼之家少得多了,但这里终于又恢复了愉快而宁静的生活。

随着家庭问题的解决,茂衡可以把时间和精力都放在他所感兴趣的镇上,使那儿的事业得以发展。他和大哥合营的生意也有了如他们所预见的那种成功的迹象。这种突来的成功很快影响到他乡村中的家里,尤其是他的第二次婚姻。现在时机来了,假如他能很好的利用,他的成功要比东林在东明死后得到的更容易些。

湖口镇里的商业行情发展到了一个不同以往的新的阶段。汽船介入码头改变了市镇生活的形态。早先帆船从镇里到沿海的福州市顺流而下需用三四天的时间,返程则整整一星期。现在汽船只用一天或不到两天的时间,即完成这个码头市镇与省城之间的单向航程。新技术使交通和通讯的时间都缩短了,这不仅意味着商品周转的加快,而且使各种消息和商业信息的传递也更为迅速了。

由于汽船的费用十分昂贵,一个店铺买一条船自用是不可能

第十三章 店铺分家

的。于是店主们便集资合股购用一条汽船。

集股购买汽船的店铺在其货物运输方面有着明显的巨大优势,汽船要比帆船快四五倍,而没有入股使用汽船的店铺立刻显出处于劣势。汽船的出现引起了商界的激烈竞争。湖口的两个老铺子就是在这种压力下被迫关闭了,像通常那样,它们的倒闭是如此突然,以致它的债主及当地钱庄竟来不及向它索要赔款。

由茂衡、方扬和大哥合营的新店铺,由于加入了由东林的老店所组成的购置汽船的股份,得以安然营业,借助汽船运输之便,这两个新老店铺在激烈的竞争中顺利地开展它们的生意。

茂衡是一个迟钝而温和的人。他对合营的铺子既无经验也无甚兴趣,只是挂名做个监督,而经营全权都交于方扬和大哥之手。他把时间都花在旅行上,从乡间到市镇,从市镇到省城,往返不休。他是汽船的重要股东之一,所以无需付任何船费。

有一次茂衡在乘船时碰上了那位在他第二次结婚前试图改姓要嫁给他的姓张的女人。这个女人后来嫁给茂衡母亲的一个堂兄弟东清,他住在东林的那所老房子中,是个贫穷瘦小的农民。这样她变成了茂衡的舅母。茂衡作为黄家的外甥经常去看望他们。所以他和姓张的女人也日益熟悉起来,并且直到现在他们之间不断眉来眼去。听说她要乘汽船去福州访友,茂衡也就乘机跟她前往。

在福州茂衡整天陪着姓张的女人。他们一起逛市立公园、黑塔、白塔、长寿桥和南台岛上的许多现代建筑,如银行、学校、教堂及其他高楼大厦。他们一起去看演出和电影,茂衡又给她买了许多礼物。城市里的生活没有人去管别人的事情,熟人之间也理所当然地把他们仅仅看成"舅母"和"外甥"。

假期结束,茂衡和姓张的女人必须回去了。他们仍搭乘同一条船。汽船的航行也同帆船一样由闽江的潮水所决定。退潮时江中的有几段航线事实上是不可航行的。大约有六个小时涨潮和六个小时的退潮时间。通常涨潮时便于上行,退潮时便于下行。潮水每天都在变化,15天形成一个完整的周期,阴历的一个月中有两个周期。商人和水手便是按阴历系统过日子,这方面他们和农民一样。农民就是靠阴历中的二十四节气来安排自己的农事。这反映出潮水的涨落对人们日常生活和习惯的重大影响,以及由此来决定装货、卸货的时间及运输安排、航行速度和交易的快慢。

茂衡和姓张的女人坐船回乡的那一天,涨潮时间是在下午,所以他们的船只能在晚上起航。当这艘船行驶到内陆市镇的入口处洪三桥时,不得不停下来接受海关检查。船长前去递交列有乘客和货物登记细目的清单,并交付通行税。海关官员十分费时地细览清单,看来他是一个十分傲慢、贪心而又蛮横的人,船长不得不以低微而卑恭的声调和他讲话,就像一个仆人对待主人一样。这位官员从头到尾审查这份清单,叫船长静静地在一旁守候,当他终于要登船检查去的时候,船长已在海关办公室挨过了足足一个多小时。对汽船和货物的检查有时要花上好几个小时,而从海岸城市首府福州到内陆市镇湖口一路像这样的关口检查要经历三四次之多。所以,真正乘船航行的时间还不如船在各个码头被关卡扣留的时间多。

当船长终于带着洪三桥码头海关检查官走上船来的时候,天已经很黑了。检查官带着两个武装护卫,谨慎地由一个船舱到一个船舱地将每包货物和每位乘客仔细搜查一遍,寻找走私货。当他打亮手电筒巡视一个仓位时,发现有一对情侣紧紧拥抱着睡在那里。他叫醒了他们并没收了照相机,因为这是军法违禁品。

第十三章 店铺分家

但是这一对情侣并非如检查官所想象的是对可敬的已婚夫妇,他们就是茂衡和姓张的女人,即"舅母"和"外甥"。人们认为族内乱伦的人被抓住了。这段新闻很快成为公开的秘密被到处宣扬开来。东清也听说了这件事,由于他很穷,无法采取任何行动。别人私下里给他封了个"活乌龟"的绰号,蔑视他的妻子和外人通奸。姓张的女人大大丢了脸并得到了一个淫妇的名声。

"张百万"却完全没有丢什么脸,只是被他的朋友和同伙们淡淡地嘲弄了一下,而无损于其名声。由于他与张姓女人的鬼混使他忽略了家人和生意,所以他也并非真是全无损害。

店铺里的麻烦正是这段时间里发生的。店里的两个伙伴大哥和方扬之间发生了严重的冲突。茂衡不知应站在哪一边为好。大哥和方扬是同等的伙伴,对管理铺子具有同等的权力,但方扬是会计,利用管理账目之权占了便宜。当大哥检查账目时,发现方扬账中有诈,于是要求方扬按旧铺子的方式来记账,但方扬拒绝这么做。从此两个伙伴就发生了争执,并且看来已无法调和他们各自的极端的态度。茂衡出去搞女人转了一圈回来,完全不能立刻明白这场争端的危机所在。

作为茂衡的老朋友和表兄弟,大哥首先试图劝茂衡将店里的事重新安排。他提议他们俩应赶走方扬,要不就撤出股份让方扬独自去经营。他们知道方扬并无足够的资本,假若他们能站在一起最终肯定会将方扬赶走。大哥警告茂衡说方扬仍会盗用款项,是个很靠不住的人。

另一方面方扬也极力把三个伙伴中最富有的茂衡拉到自己一边。他邀请茂衡到自己家吃饭,准备了美酒佳肴招待他。两人边吃边谈直到深夜,为彼此的友谊和信任立誓干杯。然后就都倒在同一张床上就寝。方扬是一个乖巧善辩的人,他令人信服地说明他将如何忠诚于友情,并且解释他们的生意如果没有大哥参与将经营得更好。

茂衡终于被方扬拉拢过去了。所以当三人再次会面时,大哥宣称他要撤出自己的股份,而茂衡却决定继续留下来与方扬搭股。大哥追问茂衡为什么作为一个老朋友而竟食言?茂衡无言以对,只能说他信任方扬而且发过誓不背叛伙伴。

这样大哥撤回了他最初入股的所有资本,并重新又投资回到东林的老店,做一个助手。茂衡则由于新店资金匮乏,不得不从本来仍留存于老店中的股份中取出更多的钱来接济。东林警告他这样做的害处,劝他考虑再三,但也无济于事。于是大哥回村里告诉茂魁的寡妇这件事,因为这也涉及她的儿子成春,他对张家的财产也应有权分得一份。

茂魁的寡妇是个忠厚本分的中年妇女,她并不同意小叔子茂衡的做法。她觉得自从公公芬洲死后,茂衡简直挥霍无度。听大哥说茂衡还要从老店中抽出更多的钱去弥补新店的空额,她便跑到镇里恳求东林别让茂衡取钱。东林告诉她,他已尽了力量,而茂衡是股东他有权提股。东林劝她直接找小叔子去说,请求他考虑考虑成春的前途。

假如茂魁的寡妇是个坚强而能干的妇女,本来是能够阻止茂衡退出老店的股份的。但是她只是个驯服、顺从的女人,作为一家之长的茂衡还是征服了她的反抗。他现在可以为所欲为了。他完全信赖目前唯一的伙伴方扬,新店没有了大哥仍旧开张营业。

这种资金的转移导致了茂衡迄今所有的各方面联系中的急剧变化,也立即转变了他生活的方向。到目前为止,他与家里亲人、伙伴及东林的老店关系都还密切,但这种转变很快影响到了他的整个关系圈。只是由于这段时间新店经营还算幸运,这种变化的结果尚未明显表露出来。

在家乡,茂衡现在必须重新找一块吉祥地址埋葬他的双亲。他笃信风水之说。由于一连串的不幸降临到他家,他的曾被视为"龙吐珠"风水的房子,现在又有了不同的解释。风水先生说,这块看似吉祥的宝地已被横穿龙头山的那条西路给毁了。对他们家来说,西路就像一把剑,斩断了龙屁股,龙因此死掉了,这地方也就变成了一个不祥之地。

经过寻找,茂衡终于发现了一块美好的地方作为墓地。但不幸的是这块地方属于另一个强有力的宗族。为了占用这块地方,茂衡只得计划秘密埋葬。但是,不幸之运又一次跟上他了。当他们半夜中冒着暴雨秘密埋葬时,这伙人被当地主人发现了,而且派人前来阻止他们,在纷争中茂衡父母的棺柩被置于山边任凭大雨倾注。村里人严厉斥责茂衡的这一愚蠢举动,轻蔑地骂他是不孝的儿子,既有不正经的乱伦行为,又亵渎了父母的遗体。

在村里遭到这次失败后回到湖口镇,茂衡发现他的铺子已经倒闭。他的伙伴方扬秘密地侵吞了店里所有的钱。茂衡前不久刚刚从老店抽出自己的股份,现在再也没有什么可拿来弥补这个损失了。方扬逃跑到山里去做了土匪,留下所有的债务让茂衡一人去偿还。面临崩溃,茂衡不得不变卖了他的田产和林产来抵偿欠债。现在他所剩下来的只有这所房子和供奉祖先的那块地了。如果再失去它们,他就完全毁灭了,他决定就此止步吧。现在他深深地后悔以前自己所做的决定。

最后,为这些挫折所打击,茂衡失意在家闲散地混日子,整天悲叹自己的厄运。他也变得难于再去做农活,渐渐地染上了鸦片瘾,陷入颓废的境地。

  老店里的人,特别是东林本来就担心茂衡和方扬的那种注定要倒霉的友谊,但谁也没想到他的下场竟如此悲惨。当茂衡取出他的所有资本时,老店也经历了一场激烈的变动。由于茂衡没有在老店中留下任何钱,所以他也不再被看成是入股人。老店又重新分配了股份。这些年,每经过一段兴隆期,商业就进入一阵萧条阶段。即使老店也难免出现亏空。鉴于每个股东利润均分,那么赤字也得均摊,东林决定取消基本股份和红利之间的界限,这样往后店里就只有十个股份了。东林自己拿五份,给侄子大哥两份。剩下的三份分别给医生云生,鱼贩东志和会计凯团每人一股,但是像以往一样,大哥不满足这次的再分配所得的股份,争辩说得到的太少了。所以这种安排未必很稳当或公平,有可能仍造成将来的麻烦。

  建立起并经营一个店铺并非简单的事,但毕竟为此所做的努力将充分显示出那些力图这样去做的人的品质。村民们在看到这些人的成败记录后将不难了解到他们每个人的个性。茂衡的失败有充分证据说明他的软弱和无能。同时,也反衬出东林的富有经验和出色的判断。人们也很自然乐意拿这两个人来比较,因为他们的家庭在血缘和友情方面都十分紧密,也因为他们两家都是同时发迹又同时显赫的。

  这样黄家的进一步升迁和张家的迅速衰败可以被当作活生生的证据,说明有关人类适应的古老格言的真谛。从试验、过失和不断的努力所获得的人生的经验中,东林学会了怎样使自己适应命运,学会了保持与同行并驾齐驱,因而最终在他的事业经营上取得了完全的成功。相反,茂衡年轻而无经验,在同样可以最后取得胜利的道路上,却遭到了失败。

# 第十四章 土匪

六哥现在已是英华书院的学生了,一年暑假,他和六位同学一起从省城回家,先乘轮船到水口码头,再换乘一只雇来的小船继续向上游旅行。

驶出水口码头不到二里地,突然一阵来福枪声噼啪大作使小船停下。三四十发子弹从陡岸的灌木丛中射来,飞过他们的头顶打在帆船上。学生们吓得面面相觑,不知发生了什么事。

又一阵呼啸的枪声,射来更多的子弹,这时在离他们座位仅一英尺的地方打了一个洞。水涌进船里,船里的11个人连同帆船有整个覆没的危险。

小哥由于惊恐而有些晕头转向,他用手去堵住漏洞,却不能止住水。另一个同学用手帕叠起来塞住小洞,大家拼命使船不要漏沉。但船已失去了控制,惊呆了的船夫们只能听凭小船由风来摆布,风却顺从岸上袭击者的愿望,把船吹向岸边。

很快岸上出现了五六名头戴竹斗笠,身穿黑短褂和长灰裤的土匪,手里拿着枪,把学生们赶下船去,并命令他们爬到岸上土匪们隐藏的灌木丛中去。那儿还有30多个同样装扮的持枪人。

学生们被土匪用枪押着在前头蹒跚而行。他们必须以最快的速度行走,不停步地走了5英里、10英里、15英里甚至20英里地,最后到达了离他们被劫地点很远的一个旧房子旁。

第十四章 土匪

土匪们在这儿脱掉草鞋,在门前堆了一堆。然后他们就全散了,只留下四名看守这些可怜的学生。疲乏、饥饿和沮丧使学生们简直无法支撑,整整一天没吃东西了,又走了九个小时的路。

仅仅休息了一会,喝了口茶来维持体力,学生们被迫又起来赶路。两个土匪看守走前面,两个走后面,荷枪实弹,寸步不离,仿佛事态多么严重,似乎他们负有多么重大的责任。

学生们一直走到一个陡峭的崖顶,那儿草莽之中有间小屋,这就是他们的监狱了。这时学生们双手被绳子捆住,双脚也被迫穿入两根横木柱上下拢合当中挖成的圆洞中,两木柱两头用铁环锁着,使得学生们一排列躺在长木床上,身躯既不能站起来,也不能转身。无数的蚊子来叮咬他们,使他们手、脚、脸一无完处。守卫的土匪倒没有很严密地看守他们,不久就睡着了。

第二天一早看守发现少了一个体格小的学生,盛怒之下他们中两人抓起枪出去搜寻,但一会儿空手而归,他们什么也没找到。这个学生的逃跑使得土匪们立刻把剩下的六个学生转到另一处的小茅屋中,因为他们害怕他会带着士兵来搜索。

小哥和他的五个朋友被土匪监禁了好长一段时间。起初这些俘虏们彼此只用官话交谈,想蒙骗土匪把他们当成外省人。但土匪却并没上当,因为学生们毕竟带着福建口音,而且土匪的侦探立刻认出了每一个学生的家庭和住址。一天晚上,一个土匪小头目来到这儿,他原本是内河港口的一个水手。他认出了这批俘虏和他们的家世。他知道这六个学生中有四个是湖口商人的儿子。还有一个是古田县参议雷吾云的儿子,雷参议曾在东林的诉讼案中显赫一时。这第六个即最后一个学生他可没认出来,这个学生名叫林楚宪,年纪最大个头也最高,是古田东路人,讲一口流利的官话。因此他是唯一一个能瞒过土匪的人。其他学生也从此假装充当他和土匪之间的翻译。

吾云的儿子西文是小哥最熟的朋友,在学校时拜过把兄弟。听说两个孩子被绑票,吾云立刻给东林写了封信。由于儿子们结义,所以吾云对东林也称兄道弟。那次法律诉讼案中大哥曾贿赂过这位雷参议,而他却一向并不看重东林的。现在由于儿子们的关系这两位老人彼此也交往频繁。知道儿子的下落后,吾云便派人去和土匪交涉。土匪头子立刻下令放了西文。雷参议在地方衙门中是个有影响的人物。土匪毕竟害怕给自己找更多的麻烦。于是放了西文还赔了不是。

一个老头把释放西文的命令带到囚禁学生的小茅屋。学生们在被绑票的当天在那座山冈上的小屋里歇脚时曾见过这老头,当时凶神恶煞,现在对西文却满脸堆笑,谄媚地问他为什么不早说是大参议雷某的公子,否则哪会像囚犯似的吃这么多苦。

几天以后,其他两名学生也被其父母保释。其中之一是小哥在湖口念小学时的朋友魏成清,现在小茅屋中只剩下三名俘虏了,即楚宪、郑生和小哥。

看守时时轮换,因此俘虏与看守之间来不及彼此熟识。但终于来了位名叫素华的新看守,他原是金翼之家的放牛娃。他来此处之前刚好碰到五哥,五哥还把他请到家里,私下许他一些物质报酬,假如他能把小哥放出来。但素华只是个小土匪,他不敢这么做,也没对小哥说起碰上了五哥。可他对俘虏们还是很好,把土匪生活的经验讲给他们听。言谈中他表露出最大的愿望是做个土匪头目。

土匪大本营中经常派小头目检查看守和俘虏们。只要是素华

第十四章 土匪

当班,俘虏们可以获得相当的自由,手和脚都松了绑和木柱洞。但素华也警告他们随时都要准备有人来检查。如果头目们发现了囚犯们这样自由自在,看守可就遭殃了。

一天外头突然传来土匪头子到来的消息,小屋里日常活动顿时混乱起来。三个俘虏急速跳上自己的木床,用绳子把双手紧紧绑牢,双脚也重插入木柱洞内。看守们也慌忙把东西安排就绪,使小屋看来更像个监狱。

匪首带着随身护卫走进小屋,整个气氛顿时紧张起来。匪首阴沉着脸现出一副凶相,看守关注地小心翼翼站在他面前。俘虏们动也不动地躺在床上,心剧烈地跳动着。匪首走到楚宪床前盘问,他装作听不懂的样子,小哥就在一旁充当翻译。凶悍的匪首叫嚣起来,命令楚宪和他家里人联系,否则就被枪毙。然而楚宪伪装得十分逼真甚至匪首也弄不清真相。事实上土匪这样做正表明他们确实不知道楚宪是谁而他的家又在哪儿。

这帮土匪一次又一次地改换囚禁俘虏的小茅屋,从不让他们在一个地方待过一个星期,这是为了怕被那些俘虏家派出的侦探或军方侦察发现。在这一带土匪出没的巍峨山岭中就有大约70个用作监狱的小茅舍。

素华被召回大本营后,又来了一个名叫光明的小伙子做看守。谈话中,小哥发现他在自己于湖口上小学时的一个好朋友刘凤万家中当过长工。当时他们家主人和雇工的关系很好,以致光明和凤万结拜成兄弟了。这样聊熟了以后,光明就替小哥带了个信儿给凤万。凤万家离此地不远,端午节那天,光明安排了机会让凤万来看望小哥,他带了许多礼物:三角粽子、花生甜酒和其他家里做的美味菜肴。俘虏和看守在一起举行了一次会餐,边喝边谈,度过了最快乐的一天。

过了些日子,一个名叫村清的新看守来了,这时看守的人数减到三名,管着剩下的这三名俘虏,除了光明和村清,另一个看守是刚入伙不久的不到 20 岁的一个青年,还处于"检验"阶段,所以不配带枪支或其他武器。

小哥花了两天时间与村清谈天。结果发现他是自己母亲的过继兄弟郑安齐舅舅的一个邻居。有了这层联系,小哥与村清谈起来就像是老朋友了。他们回忆起黄家与郑家的关系,村清还特别提起三哥的婚礼,那次所有郑家人都来参加了。小哥告诉村清,他的兄长三哥现在已到美国留学去了。

这两个年轻人的谈话渐渐变得愈来愈深入,最后村清告诉这个学生做一个土匪生活是多么可怕,并且说他非常后悔离开了自己的田园。小哥于是提议他改邪归正,重返家园。最后,这两个新交好友拟定了一个从监狱小舍逃跑的计划。小哥将这个计划秘密地又转告给同学楚宪和郑生,他们听了当然都很高兴。村清又去动员光明,他也是小哥的朋友,立刻接受了这个建议。只剩下那第三名土匪看守了,但他没有武器,所以也不用过分担心。

连续下了几天的雨。大本营和小茅屋之间的联系为泛滥的山涧所隔断,这正为他们计划的实现创造了条件。夜里他们要行动起来了,焦急地等待着那个年轻匪徒睡熟。当听到他的鼾声时,大家悄悄起身打点启程,光明和村清带上他们的枪支子弹,小哥拿了一支蜡烛和火柴。他们摸着爬下山,郑生和楚宪跟在后面。

学生们到此时已被关了 35 天。长期的监禁使他们走起路来很感困难,尤其是在这种雨夜里,风刮得很厉害,雨水浸透了他们的衣服。眼前漆黑一片,什么也辨别不出,小哥试图点亮蜡烛,但火柴全湿了。有一次他掉进一个坑里,好几分钟都动弹不得。黑夜吞噬了路径,他们完全凭借溪涧的水流声从陡峭山岩上摸下去。偶尔萤火虫微光的闪动,风雨大作、水流的咆哮,加之他们自己胆怯而又蹒跚的步履,和那种既渴望归家又担心土匪追赶上来的焦虑,都交织在一起冲击着他们惶惶不已的心神。

经过大约四小时陡峭的起伏不定的山路,他们到达了柳成村,从这里沿闽江而上至湖口镇仅三英里之遥。一条溪涧从山中流奔穿过村子注入闽江之中,人们在溪涧上筑了一座桥,村里的主要街道正通过桥上。当涧中无水或只有少许水时,人们往往可在桥下穿行。这些逃亡者到达村子时,想从桥底下穿过去以免被人看见,但又担心这种洪水泛滥季节里是否能从桥下过得去。光明自己提出先去探探横穿的可能性,叫其余的人在这儿等着他。但5分钟、10分钟、一刻钟甚至20分钟过去了,仍不见光明返回。村清越来越担心并且开始怀疑。他清楚知道有一个土匪小头目的家就在这个村,并且经常带着几个随从住在村里。他生怕光明向这个小头目去报告他们逃跑的事,如果真如此,则村清肯定会被枪毙,其他囚犯不是被打死就是重新被捕。现在他们等在这儿的几个人,既冷又怕,彼此耳语又不知所措。最后村清决定不进村去了,而是沿河向下游走去。几个被俘虏的学生跟着他,哀求他不要抛下他们。他们在黑暗中又疾走了半个多小时才驻足。只是到这时村清才敢开口说话,他告诉小哥他们应去朝天村,他自己家和小哥舅舅家都住在那儿。

他们在黑暗中又冒雨继续走了许久,挣扎着在灌木丛中闯出一条路来。年龄最小从未有过这种艰辛经历的郑生一度由于过于疲乏昏厥倒在地上,他痛苦万分地说宁愿这样死掉也不愿再拼命了。小哥和楚宪扶他起来劝他咬牙慢慢走下去。村清走在最前面,用他的枪开路;小哥紧跟在他身后,用手抬着一副临时作为担架用的一头,楚宪抬着另一头。郑生走在中间,他的重量几乎全压在担架上。这样他们又继续走了十多英里路,直到天破晓时才到达朝天村,他们叫醒老舅父安齐,喝过了茶和稀饭后,这些亡命之人不敢稍息又被送到山上一个小庙中躲藏起来,这样避免外人发现他们逃回来的秘密。

土匪在逃跑中互相怀疑是不足为怪的,他们彼此不忠实的事也确有其例,甚至光明和村清在柳成村外分手时也难于免去心中的疑虑。毕竟,土匪的势力是很大的。他们在深山中有大本营,建了许多洞舍茅屋,但他们的影响可不止于山村,而是波及军队驻扎的市镇和田庄。他们以侵袭劫掠为生,时时处处不期而至,给人民带来麻烦和恐怖。

然而土匪也并非没有组织。山村中的农人通常并不受到他们的干扰而照常生活。农人们常可看到他们的支队经过,也可以与他们按常规做买卖。土匪们在这整个的区域及周围的市镇中都有自己的耳目。像前面提到的那个小头目家就在柳成村,而柳成村坐落于闽江边,是通商大道上的一个重要驿站。就在那儿,几个逃亡的俘虏曾经颤抖地躲在那座桥边不敢进村。

自从小哥被土匪绑架,他的父亲东林就把自己关在与外界隔绝的店铺楼上的小屋中,日夜构思拟订一个营救或赎回小哥的计划。为此他吃不下睡不着,但仍想不出解救儿子消除忧虑的好方法。他越是这样筹划,越是觉得思绪混乱,以至有时他沉迷于鸦片的麻痹之中。

确实存在许多困难。最初,东林派一中间人去讲赎回小哥的

第十四章 土匪

条件。土匪头儿们要了一大笔赎金,中间人没有敢应承。湖口教堂的牧师为成清家和土匪之间做过中间人,也自告奋勇再为小哥做中间人。他向土匪头目提出1000块钱的赎金,但他事先没有和东林商量过,自从分家以后,东林一时没法筹出那么多的钱来。后来东林又请原先的那个中间人再和土匪去商量,他极艰难地与这些绑架者争辩要他们降低赎金数目。这也是为什么小哥会为自己的赎身白白地等了那么多天。

当小哥被绑架后的第36天清晨,东林还躺在床上,有人在敲店里的大门。凯团去开门后发现是一个陌生人,但他令人吃惊地说到了小哥的消息。凯团立刻带他去见东林。这个陌生人就是光明,他讲了从茅屋逃跑的经过。在柳成村他离开余下的几个亡命人去勘查涧溪泛滥情况,回到原地时却不见一个人影了,他自然想到他们会来到店里,于是就来此碰面。听到这些消息后,东林非常高兴。但到底他还不知道他的儿子获救了没有,这些逃亡者可能一直在被土匪追捕,而且也可能重新被抓住。

日子一天天过去仍没有小哥的消息,东林又变得越来越担心。每天早晨都有一些看来可疑的陌生人来到店里或徘徊门前,像是在寻找什么人。比如五哥从家里来到镇上,在店里等候弟弟的消息,就正好碰上一个过去经常在镇里闲逛的人问他小哥的事,这人很可能是土匪的坐探。但镇里人没人敢去向当局告发他,就怕被报复。可见土匪在这一带是多么猖獗了。

土匪的奸细们也很想知道小哥到底回家了没有,如果没回来,他们就继续派人搜捕。后来听说有一队土匪已经搜查了朝天村,因为他们知道村清的家在那个村。幸好土匪没有找到村清,他和学生们被安全地藏在山上的庙里。

中午时分,一个小男孩跑进湖口的店铺里要见东林掌柜。他说他被两个陌生妇女所托,她们现正站在桥头不愿进镇里来,她们要求店主人立刻去那儿见她们。东林于是派大哥代表自己前去。大哥到了桥头便认出了她们。那个年轻一些的女人是他的"舅母",即东林内弟安齐的老婆。但她却并没有认出他来。这个女人犹豫了一下,大哥便自我介绍,说是被叔叔东林派来迎接她们进店去的。这个年轻的女人就指着年纪大些的那个女人解释说,她是自己的邻居,即是把小哥带回家来村清的母亲。她告诉大哥,这些逃亡的人目前都藏在她们村里,并请大哥转告东林尽快派人把他们接回去。妇女们不愿再进镇到店里去了,说完便赶忙回自己的村了。

第二天东林和郑生的父亲派了几个人去朝天村找村清和那三个学生,然后先带他们到水口镇,在那儿雇佣了一队士兵护送他们回湖口。小哥终于来到了父亲身边。当他看见父亲时,却大吃一惊,老人发生了很大的变化:他原来灰白色的头发和胡须已全变白了;他现在露出了笑容,但脸色苍白,眼睛深陷,额上布满了新添的皱纹。当他们到齐时,光明从躲了两天的楼上小屋中出来,非常高兴他的同伴们安然归来。村清和光明大大吃惊的是他们刚刚知道楚宪原来也会讲本地方言。

不久以后,店里的一名叫李宽的伙计,他以前曾和土匪有过些联系,对光明发生了很大的兴趣。他说服光明在一天深夜把来店前埋藏起来的枪支弹药挖出来,藏在一个没有执照的妓女家里。但东林强迫光明放弃这支枪,将它和村清从朝天村带来的那支一起上缴给湖口的军队,并在此地为这两个从良的土匪重新注册为受人尊敬的公民。他们还得到了一纸证书和一些奖金。

第十四章 土匪

但是，一段时间以后，一条从福州驶来的货船在柳成村附近被劫，两名水手被杀死。这案件就由湖口当地驻军来处理。李宽竟然被控是罪犯。一天夜里他在无照妓女家被抓走。他被带到市镇的寺庙驻军营地，严刑拷问追查他的窝藏地点。那个与他关系亲密的妓女也跟着一同到了寺庙，恳求他无论怎样也不要"坦白"承认，因为她知道他根本没犯什么罪。在那种日子里即使最清白无辜的人在酷刑之下被迫承认"犯罪"，就会立刻被枪毙。

为了营救她的情侣，这位妓女去拜望了部队首领的姨太太，她们是好朋友，于是姨太太便告诉她这件事的原委。这事是成清的父亲提出的控告，他也是镇里的一个店主，目的是为了加害东林。事情的起因实际上源出于绑架事件。成清是由于花了一大笔赎金而得救的，而小哥回家却没有任何破费。成清的父亲由此便怀疑东林或他的店铺里人与土匪有某种联系。他认为东林的伙计李宽是土匪圈里的人。很自然，这位敌对的店主提出控诉并非出于大公无私，他是为了自己的目的而这样做的。

东林听说他的商业上的竞争对手以这种手段来加害自己，十分气愤。但他以镇静的态度来对付这个挑战。他立刻叫五哥去见香凯——很久以前曾是三哥的结拜兄弟，现在是古田驻军的一个中校长官。香凯听说这事，便写了一封信给自己的同事兼朋友，即水口驻军的中校长官，他正是湖口驻军的直接上司。从水口来了一个命令，李宽立刻被释放了。湖口驻军首领和成清的父亲都被这种事态震慑住了，他们对东林所能发挥的影响深感吃惊，结果东林在这事上赢得了很大的面子，不但没有受到损害，反而大大提高了声誉。

一个人为了要在这个世界上生存，必须与不同圈子中的人们发生多种联系。像黄家这种情况，东林不仅有自己的亲戚和事业上的朋友，还得去发掘开拓与官员们的联系，比如吾云，还有像香凯这样的军官，甚至像素华这类土匪。尽管这次绑架事件几乎摧毁了东林和他的家族，但是一旦他通过在这一地区许多广泛的人事关系的联络和处理，而得以生存下来之后，他的地位则更为巩固。这次转危为安，使得他和他的家族的影响和权力甚至上升到更高一层的阶段。

第十五章　兄弟争吵

黄家的显赫仍然避免不了在其内部或外部遇上麻烦。一天，湖口当地驻军的首领不期而来东林处造访，看上去这也就是一般的社会性交往。但是第二天这位首领就派兵来黄村借口抓土匪搜查了几户人家。士兵们带走了几位村里的长者，他们就住在东林那老屋附近的房舍。这个首领如此狡猾地布置了这样一种假象，似乎东林向他告密说村里隐藏了土匪。这种告密的传闻于是便在除了东林近亲以外的所有黄村人家中散布开来，人们怀疑他们中间的这个最具影响力的成员出卖了自己的村民。这样，这个驻军首领就很轻易地挑起了村里两个主要家庭集团之间潜在的冲突。

双方中的一方是东林的远亲，由于他们的长者被军队抓走了，因而他们立刻组织起族里的强壮人员，其中一些结成长刀队去攻击东林的旧屋老家，威吓那里的人要找他们算账。但这些人没敢去侵犯金翼之家，因为那座院落附设有两个角楼防盗。同时，东林近亲的这一方为了自卫，也开始采取了防御手段来对付对方日益高涨的敌意。

事实上这是驻军首领所使的一个奸计。由于伙计李宽事件的缘故，他痛恨东林。于是他假公济私伪装出于公务侵袭了村民，同时又嫁祸给东林以报私仇。因为他也十分清楚这被抓的四个老者之中确有一个人的儿子当上了土匪。另外，他施此诡计还有其他的好处,即预计通过逮捕四位老人,在必须释放他们之前如果诈不到全部赎金,起码也捞得一些贿赂。

这位首领的阴谋付诸实施一旦产生影响就会引起一串的反应。那个在土匪营里的儿子请求他的上司为他报仇。他也怨恨他的远房叔叔东林。后来的一天晚上趁金翼之家的旁门未锁之机,土匪们闯进去劫走了两个人,并抢走了他们所能抓到的枪支和财物。他们行动疾速,抢劫几分钟之后即逃离村庄,因为两英里之外即有军队驻扎,土匪很怕被士兵们发现。

但是,土匪带走的两个人并不是黄家的真正成员,这就使这次袭击无甚收获。俘虏之一很快就给放掉了,因为他口操邻近地区的一种土腔并发誓说他只是一名做工的。另一名确实是本地人,但仅是个牧童,是个比前一个还可怜的家伙。土匪们没有放了他,但几天以后他自己从监禁地逃跑了。土匪们倒也高兴看到他走掉。

无论如何,甚至在土匪抢劫之后,东林仍然渴望和乡亲们平和相处。他力图使人们相信他,他甚至对几位老人发誓他将跪在祖先牌位面前起誓他是无辜的。慢慢地留下的老人们被他说服了,他们又重新聚集在东林身边商量如何营救村里被抓的那几个人。终于,全族的人募集了一笔钱去贿赂官员,几个老人才算被释放回来。

人们应该记住,在那个时代土匪和军队实在无大差别。军队实际上是由土匪招募来的。不同之处仅在于后者明显违法,而前者搜刮人民却有个隐蔽的形式。表面上人们倒可以基于这样的事实来区别二者:士兵有制服,住在城市村镇;土匪则衣衫褴褛,栖身于荒野深山。

第十五章 兄弟争吵

但是村里的麻烦并未结束。在遭受到军队的盘剥和土匪的掠夺之后,紧接着村庄又经受了另一场灾难。水牛瘟疫历史上第一次侵袭了这个地区,一个牧童首先发现了一头母牛脖子上长了一个肉瘤,肉瘤越长越大使得这头病牛虚弱得不能动弹,第二天便死在牛棚里了。这一情况吓坏了附近的所有养牲畜的主人,他们都力图把自己的牛尽可能赶到远离瘟疫的地方,然而疾病还是在牲畜中蔓延开来。东林家的15头上等水牛最后仅剩下一头。村里另外三群水牛也被传染上牛瘟,事实上这一地区无一村庄幸免。

当瘟疫还在扩散时,发现了病牛就要与健康的牛群隔离开来。小哥这时正放暑假在家,这关头便被指派到山脚去照看两头生病的公牛,一场突然而至的暴雨把他浇得浑身尽透,为此便得了重感冒,发高烧躺倒在床上,温度越烧越高。

更糟糕的是,又传来了五嫂得了重病的消息。她嫁到黄家不到一年,前不久刚刚回娘家探亲。五哥终日与兄弟们埋葬一头又一头的死牛,疲惫不堪,但也不能不抽身去岳丈家看望自己的老婆。然而折磨黄家最厉害的还不是所有这些病魔。

在去丈人家的路上,五哥回忆起自己结婚前的生活。他特别沉湎于与一位名叫红花的姑娘的来往,这位姑娘是东清长女的女儿,所以是五哥的外甥女。当她母亲探望自己的父母时,红花也一同来到这个村庄。那时她年仅16岁,比五哥小三岁。但她长得很机灵,是个早熟的女孩子,很迷人。她的眼睛又大又漂亮,缠着的小脚使她一举一动都显得优美多姿。村里人公认从未见过这样美丽的姑娘,许多小伙子都为她倾心。

五哥也是其中之一。他每天都去东清及其孩子们住的老房子那边,这是为了能有机会碰到红花。但红花羞于见生人,有客人来时她总是躲起来。可是不管怎样,她越是躲,五哥就越是想见到她。

这样的机会终于来了。红花的母亲有事被叫回家,留下红花仍和外祖父住在一起。有一天五哥给他们带来一封红花在外地的哥哥写来的信,是寄到湖口店铺转给他们的母亲收的,因为村里尚无邮局。五哥拿着信进入老房子,把信交给东清。但这老人却不会看,就带着五哥到偏房里,红花正在那儿坐在阶梯的最下一层上纺麻线。东清让五哥打开信念给小外孙女儿听,因为她也不识字。五哥非常乐于这样做,并且尽力拖长时间读完这封信。整个时间里他的心剧烈地跳着。东清听明白信的内容后就离开了,留下两个年轻人在一起。这样他们第一次在一起说话。作为舅舅和外甥女这样的亲戚,他们谈得很规矩。

在随后的日子里,五哥就更常去老房子了。红花也不再回避他。事实上他们非常高兴彼此见面。五哥英俊而且一向穿着时髦,是位很有吸引力的年轻男子,在这个又老又穷的乡村里,五哥和红花在一起就像一对王子和公主一般。

在老房子和金翼之家之间有一所小屋子,是由东清的三个弟弟盖的。红花常去那里看望她外祖父的侄女、她的表姑英妹,也常去找她自己的朋友珠妹,即五哥的小妹。五哥也常和妹妹去那小屋,在那儿和红花见面。近一个月的时间,红花、英妹和珠妹三个姑娘每天下午都来小屋的厨房里一起纺线,躲避屋外炎热的气候,也几乎是天天下午五哥也到小屋这儿来,以极大的兴致和姑娘们聊天。

五哥和红花就这样热恋起来,他们经常的见面增加了彼此的爱慕,但是由于传统习俗的禁止他们不能更加接近。村里没有什

第十五章　兄弟争吵

么事能不为人所知,五哥和红花的这种无伤大雅的会见立刻引起了关于他们恋爱的传闻。其他青年妒忌五哥,嘲笑他说他得了个博士头衔。这是个新鲜名词,大家并不知道它的意义,而是用来开玩笑,暗讽五哥得到了红花这样一个乡村世界的美人。

慑于这一类的闲话,五哥有意躲开了,而红花却还在同一地方一天天地等着他。过了一段时间,有一天五哥刚巧路过那小屋厨房背面上的一个山坡,红花看见了他并大叫"五舅！五舅！"五哥站在坡顶看见下面美丽的"甥女",她那圆圆的小脸,像月亮一样光辉,使得他神情恍惚不忍离去。她纤细的身躯靠在凭栏上,热切地向上张望着,低声而又温柔地问:"为什么你不再来了,舅舅？"这位"五舅"的心完全被这种充满温存的爱慕之情所溶化,他真恨不得自己是个诗人,能用最美丽的语言来绘出眼前这幅情景。

但是关于五哥和红花爱恋的谣言仍在到处传布。红花的外祖母,东清太太已经警告了红花。黄太太也逢人询问这件事,并且否认这个谣言,发誓说他儿子五哥从未在外边过夜。这事后来闹得确实十分严重,最后东林也听说了。为了怕儿子会破坏亲戚间同辈内婚的传统,他决定杜绝这场恶作剧进一步发展的可能。他派了一个媒人去商定五哥和另一个女孩订婚,她就是后来的五嫂。这样五哥违背自己意愿而成婚,并永远失去了初恋的红花。

离开牛瘟横行的家园,在去探望病妻的路上,五哥深深坠入以往的这些回忆之中。

当五哥到达丈人家走进卧室时,他的妻子已只剩下最后一口气,不能讲话了,实际上他只是赶来操办简单的后事。几天后他和父亲商量便雇了一些人把妻子的棺木抬回家乡,几乎没举行任何仪式便埋葬了。一个儿媳妇的生命就像一条水牛一样不值钱。

东林确信一句古语，"祸不单行"。一连串的灾难向这个家庭袭来。对东林来说，任何形式的不幸中都没什么差别。牛瘟和五嫂的死只不过是这一系列不幸的最甚者。他极为担心他的爱子小哥仍高烧躺在庆上，会成为下一个牺牲者。这孩子现在终日昏迷不醒，胡言乱语，浑身抽搐。东林丢下店里的生意一直陪伴在小儿的病床边。

一个人相信"命运"并不意味着他把病人放在那里不管。东林请来了远近各处的大夫，用各种方法来给小哥治病。四哥想小哥一定是在放牛的那地方受了惊而丢了魂儿，于是跑到山坡上去祈祷。他跪在那儿，口中念念有词，拣起一块圆石头念着他病弟弟的名字为他招魂儿。在回家的一路上，他一直念着小哥的名字，并紧紧地抓着这块圆石，他相信小哥的魂儿正附在上面。回到家他把石头放在小哥的床头。很幸运，小哥最后恢复过来了，但两个月的病床生活折磨得他羸弱不堪。然而毕竟，他的复元似乎预示着黄家灾难的终结。

此后不久家里接到三哥的电报。这位青年在美国待了四年现在要回国了，这个消息使全村都激动起来，人们想象他的到来应不亚于旧时科场中的衣锦还乡。

但使村里人大失所望，这个年轻人单独一人回到家。既没有任何随从跟班，也没有什么卫士乐队开路，像旧时官员那般荣耀。他甚至不如当地警备队的头领，他们至少还有几个护兵跟着。这个学生什么也没带回来，除了一架留声机。晚上它倒给大家添了欢快气氛，在世界上这个偏僻的角落里，人们头一次听到美国的歌声和乐队伴奏的音乐，像公鸡嘎嘎的叫声，逗得村民们哈哈大笑。

但是，三哥并没有在家里留住多久，这是因为出现了一场新的

第十五章 兄弟争吵

纠纷。为了芝麻粒大的一点儿事,小哥和嫂子素珍争吵起来,于是他当着三哥和黄太太的面把积藏了多年的怨恨都发泄出来。他辛酸地述说起在延平时与素珍和三哥一起生活的日子。他指责素珍自私自利,声称她把他当成自己的厨子、苦力和小孩的保姆。一次他偶然打碎了一个瓶子,她竟然打了他一巴掌,所以他想到这个嫂子是多么无情无义。

还有一件事更说明这嫂子有多么偏袒不公。有一次素珍发现她的桌子上放着一把湿雨伞,立刻对小哥呵斥起来,但当时和小哥一块儿住在她家的她弟弟溪湖承认是他干的这事,素珍的声调立刻就变了。她笑容可掬地满意地问她弟弟什么时候买了这样一把漂亮的伞。这种骤然改变的态度深深地刺伤了小哥幼小的心,他做梦也不曾想到他的这位所谓有教养的嫂子竟会这般鄙劣!

听到小哥在丈夫和婆婆的跟前这样指责自己,素珍也爆发出异常的怨愤,她大哭着跑回自己的房间,拒绝再吃饭。小哥哽咽着,黄太太抚摸着他的头发,三哥沉默不语。

由于和嫂嫂发生了争吵,小哥跑到店里去看父亲并找五哥。五哥近来和小哥的关系最亲密,听说小哥与素珍之间公开吵架,他立刻站到小哥一边。当初小哥对他和红花的友情也是很同情的,于是弟弟就留在父亲身边,五哥自己回金翼之家去了。

小哥离开以后,家里也开始议论纷纷。三哥现在成了制造麻烦的中心。他集聚起所有对小哥的牢骚,不满意小哥的人现在可以随意向这位新回来的在家里举足轻重的学生发泄心中的郁忿。素珍有她的怨恨辛酸是自然的了。伯母林氏也抱怨她曾经被顶撞,此外她的二媳妇也遭咒骂、她的大孙子少台又被小哥打过等等。四哥本来和小哥很好,现在也完全转变了态度,因为小哥竟敢在东林面前批评四嫂。

这样,兄弟之间分裂的情况开始形成了。五哥回到家里后极力为幼弟辩护,这孩子现在被认为是家里一切灾难的祸首了。幸好黄太太一直保持着和解抚慰的母亲天性,在兄弟之争中她不袒护任何一方。她的态度又大大影响了东林。父亲是有些溺爱幼子,他听说兄弟之争的情况后把它看得很淡,没有惩罚任何人。不久小哥就离开家乡去念书,事情也就平息下来。后来小哥证明他是一个好兄弟,也没有辜负长辈们对他的疼爱。

随着东林日趋年老,他在家中的权威也变成另一种形式。过去他对儿子们很严厉,现在变得越来越慈祥和蔼。他不再打骂或用任何方式惩罚儿子们。他的经历使他养成自我控制并能照顾各方的圆通的个性。小哥被绑架以及随后的一系列不幸深深打击了东林和他的家庭,尽管这些困难的根源已经一个个地被克服,而东林确也筋疲力尽了。现在他越来越把希望寄托在儿子们身上,他尤其喜欢小哥,因为他还很年轻,在年迈的双亲面前仍能博得他们的欢心。

但是东林对他的两个侄儿大哥和二哥却从没有动辄依仗权威以命令相加。他们财产分家问题拖了好几年但他并不去过问。所以当三哥成了学者回来,在家里变为说话有分量人时,二哥便抓住这个机会谋取以他的权威支持自己。二哥要求三哥为他和大哥间久未解决的钱财及商务分家问题做出仲裁,而大哥拒绝面对这些问题,于是爆发了一场严厉的争吵,两兄弟更变得水火不相容。

大哥、二哥之间的公开争吵导致了两家主妇和孩子们之间永久的敌意。兄弟俩再也没说过话,可怜伯母林氏夹在儿子媳妇们中间艰难度日。

第十五章 兄弟争吵

有一次二哥需要一些粪给地里施肥，就从大哥的桶里掏出一些用到自己的田里，结果被少台的妹妹看到了。这个小女孩早被她的母亲训练好去侦察这类事情，她赶紧跑回家告诉她妈，大嫂就叫来儿子少台去对付二哥。少台跑到那里时，他可怜的叔叔还在那儿掏粪。这个侄儿立即大喊一声"贼！"，冲过去猛然地把二叔推到一边，二叔横倒在地上，摔伤了一只手。后来他把受伤的手给东林看，东林把这事告诉了大哥，但少台并未受什么惩罚。

少台的这种大逆不孝的行为在金翼之家内受到很大的责备，但如果大哥不想去管他，那么谁也不能担负这个责任。二嫂特别地恼怒，她跑到店里账房凯团那儿去求助，因为她知道在店里凯团与大哥是敌对的，他会乐意帮忙出主意。凯团悄悄告诉她可以找机会揍大嫂一顿来报复，因为大嫂比她瘦弱多了。但二嫂有些犹豫这样做是否合适，而凯团坚持，他发誓说，打嫂子还不像打叔叔那样坏呢。

二嫂回到家，私下里计划准备报复。机会立刻就来了。一天她看见自己女儿和少台的妹妹在木梯上打架，大嫂从楼上下来并打了二嫂女儿一记耳光。她冲上去抓住大嫂用拳头猛打，妯娌俩宿怨爆发，彼此拼尽全力殴打对方，她们扭在一起直到老而弱的大嫂被推倒从楼梯上滚下去。这时二嫂胸中方觉舒了口气，她算是报了仇。大嫂既羞辱又疼痛，泪流满面。从此妯娌俩像她们丈夫一样，仇恨有增无减。

东林听说了大嫂二嫂打架之事。但既然他的侄子大哥、二哥之间的争斗他都不能制止，这事他也管不了。他经常不在金翼之家，也是兄弟们得以争执的部分原因。另外他脾气的变化，随着年龄的增长愈发慈善，也是原因之一。所以这幢房子里经常充斥着抱怨和诅咒之声,虽然外界还不曾注意到这些内部的麻烦,但在两次分家之后,这个大家庭本身的瓦解不久便众人皆知了。

即使大哥自己的小家庭,从主干家庭分支出来后,也总是一幅纷扰失调的样子。当然它的这些麻烦与原来大家庭的问题也有联系。乱子开始于少台的妻子齐妹,她是大哥好友天蓝的独女,很年轻时就嫁到这家来。幼时她被宠坏了,婚后也很难改变脾气和习惯。大嫂极力要表现婆婆的权威,但得到的是齐妹的不服和反抗。大哥却又异常疼爱年轻的小媳妇,少台母亲只好总是唠唠叨叨地在儿子面前诉苦不休,让他去打年轻的妻子。大哥则由于护着儿媳妇而被大嫂责骂。

在这种情况之下,清妈来了,她的介入又催发了一场危机。清妈是大嫂的大哥的妻子,她作为客人在金翼之家住着。这个老妇人为大家所尊重。有一天她听见少台夫妇在他们屋里吵嘴,便推门进去劝架。刚进门她看见齐妹挥舞着一把长刀追着她丈夫满屋子乱跑,清妈大吃一惊,赶忙高声叫着少台,把他推出门外,然后她站在门槛上伸开双臂拦住齐妹不让她再追出去。齐妹这才停下来,由于没能抓到自己的丈夫而恼怒万分。猛然间她举起刀向清妈的右手腕深深地砍了一刀。清妈倒在地上流血不止。事情立刻变得非常严重,家里所有的女人和孩子都跑过来,被清妈毫无血色奄奄一息的样子吓坏了。由于这事发生在她家,大嫂不能不去通知她自己的家里人。第二天清妈的儿子,即大嫂的侄子和两个陌生人一起来到金翼之家。齐妹在自己屋里向外偷偷看到婆婆正在堂屋里招待三个陌生人,而且他们都悄悄地说话,知道这是为自己的事来的。于是她溜了出来,装着寻找小鸡的样子,嘴里咯咯地呼唤着直到旁门。一出了门她就拼命朝她外祖父家跑去。她的外祖

第十五章 兄弟争吵

父玉泉那时是黄姓的族长，东林的远房叔叔。当这几个陌生人和大嫂发现齐妹溜掉时，他们再行动已太晚了。

陌生人和大嫂一起商量了这件事，他们要将这一案子报到地方衙门去，抓少台和齐妹伏罪。这对年轻人的不孝行为应受到彻底的惩罚。为了进一步商量起诉的事，清妈的儿子便跑去问东林和四哥的意见。因为一旦开始了法律诉讼的事，东林和四哥将被叫去出庭作证。

四哥表示不鼓励清妈的儿子走法律途径。他虽然对大哥一直心怀敌意，但他也看到了打官司的危险。他劝清妈的儿子不要去白白丢掉两家的钱。清妈的儿子并未被说服，又跑到湖口来找东林。东林也反对起诉，反问他有没有打官司的知识。并且还给清妈儿子讲了大嫂成天和家庭里其他人争吵的事，特别是她指使儿子少台去打二哥。他最后说像大嫂这样的人唆使儿子去打叔叔这种大逆不孝的事，她并不比她儿媳妇齐妹好到哪儿去，齐妹也只是对婆婆不孝而已。面对大家这样的反对意见，清妈的儿子觉得不可能再赢得这个案子。预期的证人都不合作，他只好不情愿地放弃了起诉的想法。

四哥和东林拒绝提起诉讼间接地帮助了大哥和少台逃过了这场麻烦。齐妹躲在外祖父家一段时间，经过一番疏通和保证安全条件下，才又被叫回家来。尽管大嫂叫少台绑起齐妹揍了一顿鞭子，但她和她的娘家还是丢了大面子。他们的那个考虑欠周的计划，本来对这个家庭是很危险的，甚至可能会毁灭它，现在被压下去了，他们的好名声也受到了不少损害。金翼之家就这样又一次从它的不断的危机中解脱出来。从外界看来仍没有公开的明显冲突。

虽然如此，黄家现在的处境与早期人们逐渐建树起黄家的地位并走向欣欣向荣那时候大不一样了。那时候迫于艰苦环境，家庭成员互相合作，使家庭经济的经营发展很有成效。每个人无需争辩而各自干自己分内的事。但自从分了家以后，三个分裂的部分同时并存，毗邻而居，每个集团中的个人之间都有争斗，同时使得这所大家庭中各不同集团中的个人间也都有冲突。现在所有的这些人都已从饥饿中摆脱出来了，他们无需再为起码的生存而挣扎，而有时间和精力去争吵互斗。

但是东林，尽管已经年老体衰，仍然是这所大家庭中的最高权威的代表。他的控制虽比以前削弱了，但依然存在。正是他才最后决定了齐妹的事情。没有他的话，法律起诉就会被提出，外界就会来插手管理和控制这个家族。只要他还活着，黄家就不会完全破裂。

第十六章 店铺的扩展

湖口的店铺与金翼之家的生活密切相连并互为依存。当茂衡退出了他所有的本钱后,店铺经历了调整,而此后像土匪袭击、兄弟纷争这种种干扰也同样影响了它的发展。另外大哥也一直不满意那次调整,他不断地要求占有更多的股份。只是由于家里发生的危机和商业的不景气,才使他表面上暂时沉默。

现在终于有了些迹象表明要再度繁荣起来了,于是大哥就更渴望更多赚钱了。由于没有办法在这个店铺里攫取更多的利润,他又想去开一家新的店铺。尽管他与茂衡及方扬合营的那家铺子已倒闭,但由于他中途退出,他的本钱并没有蚀掉,因而他仍想再试试。

大哥还是采用在店里拨弄是非的惯用伎俩,他先私下里找了姚凯团商议,凯团现在是东林手下最重要的一个人物,大哥就想拉他一起去开一个新店。但是他们未能达成一个满意的协议。他们过去彼此抱有很长时间的敌意,无法轻易合作。事实上凯团并不信任这位伙伴,他认为他靠不住。况且凯团也并不愿意背叛宛如自己父亲一般的东林,同时,他与三哥在孩提时代结下的亲密友情更使他不能去做有损于三哥父亲所开店铺的事。

无法说服凯团,大哥又去找另外的人,他设法拉拢新提升的账房杨林。杨林本来是主管药房部门的,他聪明又油滑,也不是一个诚实的人。有一次他从钱柜里偷了20块银圆,藏到自己箱子里,却被东林发现了。尽管东林并未把这件盗窃行为张扬,杨林心里却非常害怕。他担心他的主人不再信任他,账房地位不会长久。为此他答应和大哥合伙另开一个新的店铺。

但杨林毕竟只是一个毛头小子,没有什么经商经验,所以大哥还想引诱东林的一个老伙计云生,他现在是医药部的头头。云生本来是个忠实的朋友,但他在店铺里的地位一天不如一天,医药业只是稻米、海鱼买卖的附属品,这些年来他简直不受重视。因此想到有个新店铺或许能别开生面,也就同意了大哥。

三人达成协议后就一起去找东林说明他们的计划。东林对他们三人同时离去感到很为难,同时他也挂念从省城里回来的鱼贩东志。大哥趁机告诉东志他新开店的计划,并答应他以双倍的价钱请他做新店的渔业交易人。东志受到这种好处的引诱,就又向东林推荐这项计划,并劝东林给予资金帮助。

东林拗不过东志的说项,终于同意让这三人去开个新店,自己也入了些股。他并不担心他们从老店里抽出投资,因为老店现在已有足够的资金,特别是三哥的把兄弟香凯中校也在这儿投资。

在大哥、云生、杨林三人离开后,东林便把四哥叫来了,他早就想到镇里经商了。四哥精明强干,平日节俭,很快便成为一个出色的商人,从前他曾是位勤劳的农民,每天和其他农民一道下田,但不同的是晚上他总要读上两三个小时的书。他读了不少书,字写得很有工夫。除了一些古书史籍,他还挑出兄弟们放在家中的一些现代教科书来读,因此他对科学、数学、地理以及外界的许多知识都很感兴趣。

白日的劳作和夜晚的学习使四哥十分忙碌。他人长得又高又

第十六章 店铺的扩展

瘦,这使得黄太太常常为他的健康状况忧虑。她请求他不要再学习以便早点休息。她认为学习只是他三哥和小哥的事,她从来就不明白四哥为什么要自找麻烦去读书写字。但四哥却不顾母亲无休止的唠叨仍然不懈地学习,终于他有了相当的基础能够有机会开始做一个干练的生意人了,可见他对事物的理解判断力要胜过他的母亲。

由于有充足的资本和重新改组的人员,店铺仍像往常一样有效地经营着。东林继续做经理,他有一些忠实的助手,像负责的账房凯团、精明的鱼贩东志及聪明店员四哥和五哥。店主和店员们为了同一目标而工作,生意再度兴隆起来。

这时从广东兴起的革命势力正在成功地向北方进展,最终推翻了北京的北方政府,在南京成立了新的国民政府。在中央政府的领导下,福建省政府也经历了重大的改组。由于盐税是国家税收很重要的一个来源,福建省政府也成立了一个特别机构来处理盐商贸易。

新成立的这个盐务机构并未完全垄断盐商贸易,但它颁布了一些条款以便人们恪守。这段时间三哥一直在华南女子学院和英华书院教书,一次他与在盐务局做秘书长的一位朋友谈起做盐的买卖的事,结果三哥被任命为食盐买卖批发商代理人,他负责从政府盐务局那里买来盐,转运到湖口镇,然后再分散到各个店铺零售。

于是三哥利用他父亲的店铺来做这类买卖。父亲的店铺现在已完全控制了全镇的食盐交易。湖口山顶设置了一个储盐的仓库,市镇的干道就是从山顶渐渐延伸下来的。三哥的亲密朋友凯团被任命为这个仓库的主管,他于是将自己的时间分配在店铺与仓库两边的事务上，当然因此而也领双薪。

盐是人们日常生活中的必需品，因而贩盐是一种赢利的买卖。由于东林和凯团控制了这个盐库，镇上所有店铺的盐商不得不从他们那里获得食盐来源，因而这两人成了湖口镇最重要的人士了，东林主管的店铺也就成了镇上最具优势的人家。

一件偶然的事可以充分显示这家店铺业已提高的地位。三哥以前的一位朋友洪衡，现在作为一个新的县长来到这个市镇。通常官员的到来是由商会出面接待，而这次盐库被选为县长下榻之处。凯团和五哥准备了丰盛的菜肴为这位地方长官洗尘。这件事表明盐库已取代了商会的职能。

东林现在年事已高，但心情愉快。他高兴地看到自己事业兴隆起来，也对自己助手的精明强干、儿子们的成就大为满意。在忠实的雇员和孝顺的儿子们中间，他再也不必从事一些繁重的工作，而是越来越依赖于这些年轻人了。

人类的生活有如起伏的海潮，时而平静，时而峥嵘。没有人能平顺、单调地度过一生。生活时时都会有变化，即使最平顺的日子也会在新的刺激和新的环境下发生变迁。危机来去无常，有时简单，有时复杂，但每次都必然被人们征服以便重新建立起一个相对稳定的局面。东林的一生交织着平静与困扰的不同过程，有如一幅浪涛起伏的画卷。

但是盐库对湖口食盐贸易所享有的垄断并没有维持很久。政府对盐商政策的改变立刻使盐库失去了作用。每个店铺都有权直接从盐务局那里获得食盐贩卖，从而每个店铺在食盐买卖中再度成为平等的竞争者。

不久在商业界又开始出现了另一种迹象。一天，东林属下负

第十六章 店铺的扩展

责林木的工头东飞来到店里,他劝东林买下一片松树林。他说这片松树林可以采伐再运到城里当作薪柴去卖。这种薪材买卖是十分赚钱的。

由于店里目前尚有相当的资金,东林便答应东飞可以尽力去做这类木材贸易,并任命他总负责代理有关木材砍伐及贩卖事宜。

木材贸易是一个很长的过程。买下这片林地之后,东飞便组织了一队工人上山伐木。这队人中多数是农民,农闲季节出来伐木,以便挣得农活以外的收入。只有少数人不是农民而是专门的伐木工。

头一件工作是放倒树木。工人们用斧头砍进树干很深的地方,再从相反的部位砍,直到树干几乎被砍穿而难以支撑树体时,工人们便用力拉一根事先系在树干顶端的大绳,把这棵树按预定的方向放倒。

砍倒的树被锯成大约一英尺半长的木条,然后堆成中空的塔形,每个高约二三十英尺。天气晴朗时,可以从远处看到这些矗立在平缓山坡上的木料堆成的塔,有如中世纪城堡中的瞭望塔。

这些堆成塔形的木料就放在那里任其日晒风干,直到雨季来临河水上涨到能够漂浮着这些木料流向市镇。那时工人们便拆下这些木塔,把木料掷于河中,水流将木料载运到湖口,而工人们在东飞的带领下在两岸跟随着木料顺水而行,他们手持顶部装有铁钩的长竹竿,时时去推拉在河中阻塞住的木料。

这条河汇入闽江的河口刚好就在湖口镇外,在这里工人们沿江面横起一道绳索拦截住顺水而下的木料,这道绳索有如一道堤坝,阻挡住这些木条防止从闽江漂走。木材在这儿聚集起来,分批装载入船。

这种"绳堤"有时会出现危险,暴雨来临或上游突发山洪都有可能使河堤崩溃。如果发生这种情况,木材溃散到闽江之中,通常是不可能再将它们收集起来的。因此东林吩咐这些助手们要时刻警惕"绳堤"和木材堆积的状况。

船装木材运往福州,由东志负责卖给木材场。所挣得的钱用来购买更多的鱼和盐以便运回湖口等内地销售。

当时,运载木头和盐还是依靠帆船,而运载米和鱼早已是用汽船了。东林和其他店铺那时已合伙拥有一艘汽船。三哥现在成了最大的股东。因为他买下了方扬和茂衡破产后留下的所有股份。五哥开始曾是汽船的船长,但后来由于镇里商业活动和店铺工作的需要,他让自己的好友卫国去当他的代表并代理汽船船长。

所有这些给东林的生活、他的家庭和店铺带来了新的变化。命运使他有了进一步发展。他广泛的交际促进了他商业的兴隆,而这种商业的成功,把他的事业推向一个新的高峰。由于他的儿子,那位留学生且在名牌学院教书的三哥的努力,一度成功地垄断了食盐买卖,也使东林的地位进一步提高了。全镇越来越多的人,在需要帮助或参谋时都愿来找他请教。新的木材生意又使他雇用了更多的助手,也更增加了他在地方上的威信。

东林担任商会会长这一年可是非同小可的一年。商会成立已经很久,会长职务由各店主人轮流担任。惯例是商会邀请地方绅士参加他们的集会商讨处理全镇上有关商人和一般市民们的事情,这种会议一般由会长召集,会址就在他的店铺。东林上了年纪,也厌烦开会,因而往往让凯团代做他的代表。

有一次,在东林的任期内,镇里发生了一件相当严重的事情,东林必须负责为此召集一次会议。这个问题就是是否要组织一个自卫队来保护全镇的安全。这个地区的土匪越来越多,以致政府也鼓励当地人组织武装自卫。有个退休官员王齐祥首先办起了这件事,他在自己的家乡王家村建立起一个军事中心营地,并写信敦促其他村镇设立分营自卫。一些地方便做出反应起而仿效。

在这次东林召集的商会会议上,与会人士一致赞同组织一支地区军事分队,由每个店铺提供一人一枪。这样这支分队大约有20来人。五哥被任命为分队长,他过去曾是村里的孩子王,又在地方无赖中及赌场上混大,所以是顶合适的人选。

此后不久,又发生了一件让商会劳神的事,即是要派出一位镇上的代表去参加这一地区的请愿团,为的是拯救被关在延平市监狱中的香凯。东林为此到处物色合适的人选。这时,小哥从城里回来了,他已长大成人,是英华书院高中毕业生。当他走进店铺时,东林满意地微笑看着自己的小儿子,随着就叫他出发到两英里地外上游的黄口镇参加请愿团。小哥觉得很不解,因为他并不知道发生了什么事。但他还是遵从父亲的意思去了。

香凯是被延平驻军总司令吴安邦关进监狱的。安邦起初是个土匪头,但后来加入了军队并很快成了驻军首领,他的势力驻扎在几个县区之内,囊括了整个闽江上游地区,也包括古田全县。香凯于是将自己的势力投到安邦麾下,并很快被提升为陆军上校,驻扎在延平北部的边沿地带。

最近安邦派军队解除了香凯的势力,并将其逮捕下狱。原因是有谣传说香凯谋反。后来安邦发现这项谣传并无实据,香凯的一位朋友叫赵孟,是安邦宠信的一名陆军上校,调查了此事,并向上司做了汇报解释。香凯其实并无反意,不过是在许多场合中抱怨过总司令。安邦了解了事情真相,也无意杀掉香凯。他仅是暗示说如果古田绅士愿出来为香凯作保,香凯就能被释放。

赵孟把这一信息转达给古田驻军上校齐亚魁,他以前曾是香凯的属下。在亚魁的提示下,古田的绅士们聚在一起,为保释香凯出狱,要准备去延平请愿。请愿团是由地方上的头面人物组成的,有以前的退休县长而现在的自卫武装司令王齐祥、县区参议雷吾云、古田市商会会长陈大川、地区豪富马南绍等等。所有成员聚合在南绍黄口镇的家中,预备从这里乘船去上游的延平市。

小哥做为湖口来的代表参加了请愿团。这些人中他只认识王齐祥,他曾经在英华书院教过他。在这儿他也第一次看见自己结拜兄弟西文的父亲吾云。他作为三哥最小的弟弟被介绍给齐上校。当日这位上校曾接到安邦的一封电报,命令他迎送古田的绅士后,要留在工作岗位上,于是齐上校便回到古田城里,这时有50来人的请愿团已经到齐了,就乘轮上行。

当请愿团到达延平市后,他们便排着队前往吴司令的官府。许多人手中拿着五颜六色的绸旗、字幅和标语牌,上面写满了赞美总司令的崇高德行和对古田县区慈善治理的赞誉之词。但请愿团在大门外等了差不多一个小时,才从里面传出话来,说总司令非常欣赏这些礼物,可是他很抱歉不能马上与大家见面。

请愿团只好前去改见副总司令,他是安邦的直接下属,同时也是他的堂兄弟。人们到达那里后,一位可敬的副官出来接待,让请愿团挑选出十人作为全体的代表进见。这十人被带到副司令的寝室兼办公室,刚刚进屋,便闻到一股鸦片烟气味。这位副总司令看起来50岁样子,实际上只有40岁左右。他像鬼一样苍白瘦弱,说起话来口吃得厉害,实际上他也很少开口,整个时间都是他的副官说话。他那明显粗俗的谈吐使人一看便知他以前一定是山中的

第十六章 店铺的扩展

土匪。

最后,安邦终于派了一名官员来接待这批古田的绅士,拟定了一份有关香凯事件以及古田绅士们作保释放的公文。小哥作为十个特别代表之一也在公文下面签名画押。使他感到吃惊的是这位起草文件官员竟然是以前他在延平读书时相识的美以美教会的牧师。这位官员的口才同过去无异,只是所谈的是治安而不再是圣经;他说话的姿势及神态依然如故,只是现在把教士的长袍换上了军官制服。

香凯出狱后,他很高兴能再见到家乡的亲友,特别惊讶小哥也都长成能做事的大人了。但是这件事使他失去了以往的职权,现在他仅是一个老百姓了。

为了表示好客,安邦办了十桌酒席。古田的绅士们都被请来参加,安邦的下属们都被招来待客。安邦和他的副司令很少讲话,只是在客人们对他们恭维时和气地点着头。那位牧师出身的军官适逢良机口若悬河,他的举止在这群人中算是最文雅的了。安邦的亲信赵孟,虽然没文化,但为人精明狡猾,他很会说话,看起来是这些军人中唯一比较有头脑的一员。其他所有上校和军官们都是皮肤晒得黑黑的、崇尚武力的人。他们粗鲁而大声地谈论着打土匪的所谓功业,以此来表现他们自己的无所畏惧。

事实上以后几天连续举办了这样的宴会,因为下级的官员们也都纷纷效法来表示他们的殷勤。最后是香凯又请了一次客,答谢前来搭救他的家乡父老。

请愿团回到他们的家乡,小哥直接来到湖口向父亲禀报此行的成功。东林听了这个消息很高兴,他为他的小儿子能像兄长们一样有出息而感到欣慰。

在所有这些事件中，命运再次使东林在经济上和政治上获得进一步的成功。在像湖口这样的小镇上，商业是不可能与社会生活的其他方面截然分开的。传统上商会负责管理镇上的公共事务，如征税以及同政府和军事部门联系等。镇上军事自卫队的组成也加强了商会的势力，东林作为商会会长也就在军界和政界中直接产生了影响。在他的庇护下五哥当上了自卫队的队长，小哥也得以成为地方绅士代表之一。他们的能力反过来又增加了父亲的权威。所以东林很满意地听到镇上和村里人谈论说他的四个有志向的儿子在不同领域中取得的进步。一个在商业方面，一个在政治方面，一个在知识界，还有一个在军界。

第十七章　趋向两极的张黄两家

东林和他的儿子们现在所享有的富贵荣华及广泛影响力,正与那个曾和他们同时起家的伙伴张家的灾难性衰败形成极为鲜明的对照。在黄家开始上升的时候,张家却衰颓了。他们的最后败落震动了黄家的子孙,但是两家目前的关系变得很不自然而且很疏远了。事实上,当张家走投无路之时,黄家并未因此而受到影响,他们只是表示非常同情。然而即便是同情,也并没有使他们采取什么积极行动去帮助先前的伙伴。

当张家濒于绝境之际,东林的四个儿子中只有两个在家乡。老大三哥与妻儿住在福州,他在那里教书。尽管他建立了独立的家庭,他在经济上仍有赖于父亲。小哥也远离家乡,在过去的首都北平的一所大学念书。

四哥和五哥留在父亲身边。他们雇了一些雇工去种家里的田地,同时自己也经常回去监督。四哥曾是位聪敏好学的农民,现在成为店里的一个能干的帮手。五哥却很不同,他热衷于镇上的公共事务,结果是如同当初在村里一样,他在镇上也成为一个风头人物。许多事情使他的名声大振。

这期间,在富商的支持下县政府组织人马从当地古田市修一条通往湖口镇的汽车公路。但当修建工程到达黄村时,筑路工人却有意刁难村民。他们傲慢地以政府当局的代表自居,强迫村民给他们提供工具和食物,并且威胁要没收村民的田地作为修路之用。村民们于是找到五哥大加抱怨起来,五哥决定亲自到工地看看这些筑路人是怎样逞强。他找到一个殴打村民的监工,村民们也都围拢来控诉和助威,五哥非常气愤地质问监工是哪条法律给他这种权力殴打村民。受到这种干预,监工冲着五哥大发雷霆。他反问五哥是干什么的,竟敢干扰政府的事情。他们吵得很凶以致险些动手打起来。这件事最后汇报给筑路队的上司,五哥也跑到古田向主持此事的头目说明了情况。这个头目原先是三哥的学生,于是他直接下令撤换了那个监工。他这样做不仅仅因为与三哥的关系,而且也因为东林是出资筑路的主要股东。此后黄村人不再受到筑路工人的刁难,村里人也很佩服五哥办理这件事的能力,更器重他了。

另一件意外的事接踵而来。当五哥刚从黄村得胜归来回到湖口店铺,看见一个收税人在与父亲吵架。起因是收税人要增加税款。他声称他的主人,即此地地主要求另收一些款项。但东林争辩说并没有从地主那里得到任何正式通知,因而税是不能增加的。这样两人争吵起来。税收人用右手狠狠地拍桌子,试图以此来威吓住纳税人,他还一把抓住东林的领口。通常,这样无礼的行为定要酿成一场武斗,但是年迈的东林怎么能对付一个壮汉呢?

正在这关头五哥走进店里,一看父亲受到攻击,立刻冲上去一把揪住纳税人,同时四哥也刚好办完事回店,上来帮助五哥用绳子把收税人捆了起来。这位收税人被这种突然的逆转吓懵了,他那种盛气凌人的凶蛮劲儿一下变成了卑下畏缩的样子。

五哥和四哥硬把缩作一团的收税人拉起来。两兄弟各揪着绑绳的一端,推着他穿过市街朝镇上的寺庙走去,那里目前是自卫队

第十七章 趋向两极的张黄两家

驻扎的地点。他们把收税人交给自卫队看管。自卫队长茂月是五哥的老友,他有许多年当兵的经验。通过五哥的影响当上了这个地方军事组织的头目。

不过如此对待一个收税人员似乎是有点过分了。只有盗贼才能被绑起来进去关押。镇上一些人看到黄家兄弟这样捆绑一个收税人员毕竟有些霸道,即便这个收税人一向待人苛刻,不得人心,也做得太过分了点儿。

所以第二天当这个收税人请求允许他找人来商洽释放他的时候,东林又出面干涉了。他不希望此事再扩大,他只提出让收税人公开道歉。按照惯例在镇里的寺庙前燃放鞭炮就表示公开道歉。这种仪式是为了在众人面前表明承认错误并挽回受害一方的面子。这样,公开道歉之后茂月便释放了收税人,这件事也就此了结了。

但是,五哥所做的尚不单单这数件事情而已。由于他和目前任自卫队长的张茂月之间的关系,他又立刻被卷进瓦解张家的一系列冲突中去。

作为地方军事自卫队的首领,茂月有责任保卫全镇。但他想的还不止于此。他极力想打击一个叫作朱方扬的当地臭名昭著的土匪。朱方扬曾经欺骗了他的堂兄张茂衡,很久以前当他们都还很年轻时,茂衡试图建立起一家店铺,却让朱方扬把这事毁了。现在方扬成了这一带土匪头,人们都很怕他。

在随后的这些年里方扬便渐渐在土匪中出了名,他带领手下的人一村一村地抢劫,控制了整个西路一线的村庄。最近他变得更为残酷和猖狂,是以往的土匪头目均不可比拟的。当时,由于一般政治状况的纷乱,驻军往往不得不离开自己的防区去参加地方

175

政治派别之间的战乱,而这便给土匪留下了可乘之机。只有很少的地方由于有自卫队的保护才能幸免于祸。

在那些日子里,黄村上行的花桥是交通要冲,土匪可以过桥在河两岸横行,商旅也通过它往来于县城与闽江码头之间。所以在桥的附近经常有人被抢劫、打伤甚至被杀。

茂月作为自卫队首领抱有勃勃雄心,同时也为了替张家复仇。有一次他将自卫队埋伏在花桥上头的树林里,当一队十多人的土匪在此过桥时,他命令手下人开火,当场击毙四人,其余四散逃回大本营。这是一次巧妙的袭击,但同时也是自卫队与以方扬为首的土匪公开冲突的开始。

另一个自卫队很快也投入这场战事。这是张芬洲家乡陈洋村的自卫队。它是由以前湖口镇一家店铺的老板茂恒领导组织起来的,茂恒曾是王齐祥的学生,合家迁回故里后便由王齐祥任命组织自卫分队。茂恒与茂月是堂兄弟。由于方扬如此深刻地损害了茂衡,因此他们都十分仇恨他。为了对付方扬,这两个自卫分队曾合并成为一支较大的武装力量。他们紧逼方扬,使他的部下纷纷逃离大本营。这样,自卫队与土匪之间的仇恨越结越深了。

随后发生了更大的战斗。事情是这样发生的:茂月带领四个手下人为一队商人护送货物从湖口到古田市。结果消息被奸细探知报告了方扬,这个土匪头立刻组织人马埋伏在半路。当商队到达花桥时土匪突然袭击,茂月等仓促回击。他们顶了一阵,当看到树丛中窜出更多的土匪时,茂月下令撤退。但是撤退一下变成了溃败,茂月很快发现只剩他自己在田野里奔跑,几个土匪顺着小路紧紧追赶他。终于一颗子弹穿透他的背,他扑倒在麦田里。有一个土匪赶上来又朝他头部补了一枪,他的血涌出来化在泥土之中,

第十七章 趋向两极的张黄两家

他再也站不起来了。

这绝不是这场仇恨的了结,五哥反而很快也被卷入其中。方扬是决意要让张家付出更多的牺牲和代价的。茂月的弟弟茂桥也是自卫队队员,他发誓要为哥哥报仇,但在另一次战斗中他也被打死了,茂月兄弟被打死并未能使方扬满足,他还计划着偷袭陈洋村茂恒的自卫队。

一天傍晚,茂恒听说有几位客人来访,当他刚迈出门槛便被一个陌生人拔枪射倒,这人就是方扬。土匪的这次袭击迅速而周密。他们包围了茂恒的家并控制了全村。在撤离之前他们洗劫了全村,砸毁了茂恒的家,缴去了自卫队的所有武器。

茂恒被枪杀后,他的女儿月英逃到县市里找义父吾云寻求帮助。作为县参议的吾云对此当然也无能为力,但在月英一再恳求下,只好出面将此事上呈给县政府,让衙门里派出秘密警察来帮助她。

把黄家卷入土匪方扬和张家仇恨的是茂恒被杀害。这事不久后,五哥要去县市里出差,无意地找到一个朋友张茂绪为伴。茂绪是张村的一个农民,也是张茂恒的族人。当然茂恒被杀事件根本与他无关,他在村里也只是一个无害的小农。

五哥他们傍晚到达市区。正当他们要住宿客栈时,几个警察突然出现在面前,他们将茂绪抓住,五哥想抗争问明缘由,却被推到一旁。茂绪就这样不明不白地被带走了。

五哥一时不知所从,他不知他的朋友会有什么下场。最后他算是打听到消息,说茂绪是因为被控为土匪,谋杀了茂恒而被捕的。可五哥明知这种控告不实,茂绪从来没有做过土匪,而茂恒显然是被土匪头子方扬所杀的。

在法庭审判之前,五哥才知道控告的人是月英。他决定去向她解释这一情况。由于五哥并不认识月英,他就自我介绍是六哥的哥哥,六哥与月英曾是小学同学,并且家里也曾为他们提过亲。起初三哥曾为他俩提亲,但遭到月英父亲茂恒的拒绝。但这事并没了结。以后茂恒搬回乡里住,送女儿到县市里上学。眼看着女儿渐渐长大成人并且秀丽漂亮,茂恒便开始想着找个好人家的青年来给女儿完婚。这时小哥正在英华书院读书,由于聪明能干为人称道,因此茂恒开始找黄太太谈起婚事。依照传统是不该直接商谈儿女的婚事的,所以黄太太如何答复很是为难。于是茂恒便又找东林去商讨了。他们两人都比较开通,因而可以直接公开地讨论这事。东林告诉茂恒,小哥由于历来接受现代教育,因而主张婚姻自由,他不愿意父母干预自己的婚事。东林说这话是有根据的。当五嫂去世以后,本来应当是要为小哥操办婚事了。但他坚持要让五哥续弦去主持家务,并要求父母不要为他的婚姻操心。但是茂恒和月英仍然希望有可能得到小哥,认为只有月英才是小哥的最合适的对象。

由于以往的这种背景,月英看来很高兴听到关于小哥的消息以及有关他到北平学习深造的情况。但是当五哥把话题转到茂绪身上并说明他是无辜的时候,月英却沉下脸变得十分生气。她说她曾听父亲说过茂绪是他的对头,而且恶毒地诅咒过她父亲。她坚持说肯定是茂绪勾结土匪进村杀害了她的父亲。这位年轻女人最后以最不得体的方式打断了这次谈话,并且宣称只要能为她父亲的死报仇,她就满足了。

茂绪就这样被控告、审讯而判处死刑。五哥非常难过却无法帮助自己的朋友。茂绪在被拉到广场行刑前曾被拉去游街。当他被拖到街上他悲哀地叫嚷着对他判决不公,然而却无济于事。他以前与方扬确实有过交情,但这远不能就当成把他作为土匪而判处极刑的借口。成千的土匪多年叛逆如今却摇身一变成了军人或官员,而这位无辜的农民却在自己从未干过的土匪名下横遭杀身之祸。

行刑之后,五哥孤独一人回到家乡。他为自己不能挽救朋友的性命而沮丧、消沉。他去看望病倒在家中的茂衡。茂衡已卧床好几个月之久。五哥带来的消息只是徒然增加了他的颓丧,茂衡知道自己的生活是让以前的那个伙伴方扬给毁了。这个土匪头现在已杀了他的两个弟兄:茂桥和茂恒。茂衡简直不忍再听到有关他的家族与土匪头子之间的仇杀。现在这种仇恨再转到他自己的族人之中,因为茂绪也是他的一个远房弟弟,是张氏宗族中的一员。茂衡病弱交加,只能躺在床上。他怎能爬起来去做英雄式的复仇呢?

从茂衡这种颓败气馁的情景,我们可以看到张家的命运。这个大家族没落了。那个曾被誉为"龙吐珠"的吉祥之地,老芬洲曾经满怀希望地在这上面建立起华丽的家园,现在也于事无补了,甚至它还加速了这个家族的衰败。疲惫、年老而孤独的茂衡,只能躺在床上诅咒一度曾是伙伴和朋友的方扬。他切齿痛骂方扬是个恶魔,摧毁了他的生命、财富和亲人。

但是,对于家道衰落的原因,茂衡可能想得太简单了。他把满腔责怨都置于方扬一身,这显然是错了。他把"风水"的转变归因于一个人化身的恶魔,他完全没有认识到所谓个人的恶魔,就是一个更大命运中的仅仅属于人本身的动力,也是由于他的环境、他的时代及他的地位的产物,这一产物又来自人们对客观环境的情感和反映所起作用而形成的一个大型的网状机构,而这一整套并非茂衡或方扬所能理解的。方扬并非生来就是土匪头子。他和芬洲、东林以及许许多多中国南方的人民一样,起初都是辛勤种田的农民,而欺诈、虚伪、狂暴和仇恨等特性使他向这方面发展,如同具有其他特性的人向别的方向发展一样。张家所走的路线,碰到方扬的作为,它就有如暂时的催化剂,促使他们走向命运的深渊,而蒙受了巨大的灾难。这一转变反过来又使张家回到起初那种卑微和贫穷的境地。黄家也经过一段类似的路程,但他们对人情世故及物质环境的处理方式,促使他们走向不同的转折点,并且一直通向更高的境地。

方扬作为这样一种邪恶势力促使张家不断走向下坡路,与此相反,黄家却是往上坡的路上前进。两家的不同,没有再比两家家长之间的悬殊地位更鲜明的对比了。如今,茂衡躺在临终的病床上,微弱地诅咒着致他家族于死地的恶魔;东林却成为了荣誉、团结、孝道围绕的中心,这些标志着黄家进入了更高一层的水平。家里儿孙满堂,要为老人的地位以及他们的力量和团结的象征庆贺一番。

为了炫耀一个大家庭的功绩,当地有一种为家长的重要生日举行庆典的习俗,称作长寿宴。50 大寿举行第一个长寿宴,60 大寿举行第二个,70 寿辰是第三个,如此类推。东林今年 60 岁,儿子们计划借此举行盛大筵席庆祝大寿。

庆典计划在福州举行,这样比起在村里来,可以有更多的亲戚朋友参加。"古田会馆"大楼被选为庆祝地点。在福州市,全省各个县区都建立自己的会馆大楼以便进行商会的各种活动。"古田会馆"坐落在离黄家代办东志住所不远的地方,古田来的人一般都

第十七章 趋向两极的张黄两家

聚集在那儿做买卖。这是一幢两层楼房,大致分三部分。前面有一个剧场,旁边有演员更衣室。各县的会馆同时也是休息娱乐的场所,经常演出老式戏剧等节目使人们消遣。中间部分是一个敞开的天井,后面则是一个大厅及许多小房间,这便是用来开会、存货及居住用的了。

为了通知大家举行庆典的日期,事先印了许多红纸的请帖分赠亲友、同事、同业商人及所有认识的人。这种庆典的请帖与婚礼的请帖不同,它不是由父母而是由孩子们签名。婚姻被认为是父母对孩子们的责任,而寿宴则由孩子们主办,这是孩子们为父母的功绩和成就的祝贺。三哥首先在请柬上签名,其后是他的三个弟弟和一个妹妹;再下来是他的两儿两女,他的三个侄子和三个侄女。这些全是东林的直系子孙。三嫂素珍和四嫂及第二位五嫂等媳妇未列上去,这点并不奇怪,因为年轻妇女在这种场合照例是不出面的。

古田会馆大楼被从上到下装饰起来了。主厅四周的墙上挂满了五颜六色的卷轴及丝织或刺绣的锦旗,这些全是亲朋好友们送的祝贺礼物。这些礼物中最贵重的是一连串的丝质条幅,这是三哥学校里同事们送的,三哥现在已经是英华书院的代理院长。每一幅卷轴长10英尺,宽6英尺,东林的生平事迹美观地缮写在这些卷轴上,准备陈列给大家看。内容包括东林如何开始他的生意,如何扩大店铺,以及如何赚了大钱;还包括东林怎样建立起家庭,怎样建立起他的房屋和田园。另外东林对公共事务、地方管理及商业上的兴趣也被记述其上,尤其强调他作为孝子和社会公益事务赞助人的德行。黄太太也作为贤妻良母受到赞颂,她利用一切可能的办法帮助丈夫和孩子们成功。甚至东林儿子们的工作以及子女们和孙儿们在校的学业成绩也被炫耀一番,以显示出黄家优良的家教。这条卷轴上所写的要比一般的长,但也属于典型的颂辞,赞美黄家的荣耀。

庆典的第一天来宾主要是商人们及其家眷,像做鱼、米、木料等生意的买卖人,都是东林的老伙伴或是老朋友,有些是从古田来的商伙。客人们到齐后,都被邀请到主厅就座。妇女和姑娘们的餐桌也都和男人们的摆在一起,男女之间的接触在城里要比在乡下自由得多。

这时在大楼的前部分的戏园中,一个戏班开始演出精彩的节目。奏乐过后,是一出专门为这种场合安排的戏,名为"天官赐福"。主厅中的人们一边享受着精美的食物,一边欣赏着演员的演技。

这个戏班中有丰富的历史的以及故事性的剧目。客人们随意从中点出节目,他们旋即表演。宾主坐在主厅中观赏的同时,一些外人和陌生人也允许站在天井或院中旁观,因此整个大楼里充满了欢笑的人群。

古田会馆大楼里的宴会及人群一直到晚上还不散,而且有更好、更大型的节目上演。直到半夜时分,三哥带着几个兄弟和家中的晚辈来到每一桌宾客前,寒暄着感谢他们的屈尊光临。

第二天举行同样的宴会,不同的是来宾不一样了。这次主要是市府官员、学院同事及三哥和六哥的老师与同学。甚至小哥的几位朋友还从北平寄来了生日礼物,以表示他们的友谊。

第三天的客人是家中较为亲密的朋友和一些年轻的晚辈族人。这天的仪式没有头两天那样隆重,但仍是由衷欢快的场合。

这个寿日庆典一方面使黄家联系更为广泛,一方面又抬高了东林的声望，同时有利于他在城里的生意及对公共事务的参与。现在，东林不仅仅是镇上的名人，也成为市里的有名人物。黄氏家族的历史上还从来没有一个人能具有这样显赫的地位。

与此相对照，正是在东林大摆寿日筵席无上荣耀的时候，茂衡在自己的悲剧中也走到了尽头。茂衡已病入膏肓，最后他晕厥过去，他的老婆找人求救，家里忠实的雇工培明也出外四处求援。

培明先来到金翼之家叩门。二哥出来开门，他是家里现在唯一的成年人，其他人都去福州参加寿宴了。尽管培明告诉二哥茂衡病得奄奄一息了，但二哥回想到茂衡并没帮过自己什么忙，就冷冷地拒绝前去看望。他只是借口说他要负责看守空家。培明仅是一名雇工，无法再勉强二哥，悲伤地离开了，听任大门在身后紧紧地关上。

培明又来到湖口找医生云生。云生正在他与大哥和杨林合伙经营的店铺中工作，他也拒绝提供帮助。他说店里别人都去福州赴宴因而他不能离开这儿去照看茂衡。况且天色已晚，可能的话他明天会去一下。云生已全无良心地忘记了他的那些医学知识和技术全是从目前这个病人的父亲芬洲那里学来的。

培明两手空空一人从外头回来时，茂衡已在大口吐气。女主人静静地坐在床边流泪，知道将要发生的事情。茂衡微弱地叹息了一下，睁了一下眼睛，马上又闭上了。看着这悲惨的情景，培明回到自己的屋中，诅咒着那些张家鼎盛的日子里常来而现在却不露面的势利小人们。

不一会儿培明听见痛哭声，知道主人已经过世。他走出房间，深深吸了口室外冰冷而阴森森的空气。透过茂衡房间的房门，他看见茂魁的寡妇、茂衡的老婆伏在床边痛哭着。茂魁的养子，现在只有十来岁,也陪着两位孤寡无助的女人哭泣。

  第二天一早培明把这个消息告诉了黄家。虽然很不情愿,二哥也不得不去帮了忙。两人很快将尸体抬进棺材,也没举行什么仪式。张家从此再没有主人了。

  现在确实到了尽头。由于再没什么事可做,培明离开了这里。茂衡年轻的老婆在父母的敦促下立刻改嫁了。在所有了解张家盛极一时的有关人们中,只有茂魁的寡妇和她的养子留下来了,留在这所"龙吐珠"的房子里。

第十八章　地方政治

黄家虽是步步高升，却也难免像张家那种急转直下的命运。以后几年里那些突然而来的事件，使他们明白了这个道理。当时福建如同全国一样，被战争搞得支离破碎。不过尽管老百姓在血腥的战争中往往家破人亡，东林却似乎是个例外，他和他儿子们的家庭以及他一手经营起来的身边的家产，侥幸地避免了被摧毁的危险而依然幸存下来。

无论如何，就在国内战争波及这个县区之前，似乎有一段时间这里为和平与安宁笼罩着。这给人一种虚假的希望，尤其是地方上的土匪被肃清了，更使人觉得新的一天即将来临。方扬的末日来得很突然，简直就是在他置张家于死地之后接踵而来的。他的影响在另外一些事件面前很快地消退了。

作为张茂衡的以往的伙伴及后来的成功的敌手，方扬已经是个势力雄厚的土匪头儿了。他的人马增加到100多人，他们在古田县区的各处村庄中肆无忌惮地烧杀抢掠，直到一个新中尉来湖口镇驻守之前，他们简直已不可遏制了。

这位中尉到任后安排了一个奸猾的策略，他派出代表去招募方扬一伙编入正规军。

当军方代表与土匪头子们彼此讨论做出正式协定并郑重交换保证之后，方扬带领他的人马乘小船来到湖口。他们到达码头，由中尉的代表在岸上热情接待他们。上岸后以方扬为首向中尉的军营走去。大约走到半路，中尉出来上前迎接。但突然间，事前埋伏好的部队冲上来逮捕了他们，方扬的人整个被冲散，土匪大部缴械投降。只有后部的大约20来名土匪抽身跳入河里游水逃掉。有的不会游水的也被抓住，或被枪弹击毙。

在被捕的这群土匪之中有一个年仅12岁的少年，这就是方扬的儿子。这个土匪头子为了保存儿子的性命，跪在中尉面前请求宽恕这位少年。方扬自知身为土匪头目难免杀身之祸，但他恳求说他儿子是无罪的，他没有做错事只是前来看望父亲。为他这种请求所动，中尉应诺保全少年，但下令杀掉其余所有的土匪。这确是一场大规模的杀戮，虽然可怕，但毕竟给这一带的居民带来了短暂的喘息和宁静。整个县区都为这一消息而鼓舞。那些曾遭受抢劫和破产了的家庭尤其为了报仇雪恨而欢欣。只是茂衡，他的短命使他没能看到他的旧友和死敌方扬是如何被击毙在大街上。

剿灭了这股土匪，人民本希望能过上太平日子。但福建省正值兵荒马乱的年代，这种希望也就成为泡影。很快军队表明比土匪更可怕。曾经免了香凯职位的那位总司令安邦，立刻显示了比以往更残酷的面目。他的部队占据着整个闽江上游地区，并且逐步扩展到远达下游的重镇水口码头。位于延平市与福州之间的古田县区，因而也落入其军事控制之下。

虽然安邦也是省政府成员，但他却并不满足这种地位。他的参谋们督促他拿下省城福州，他也决定这么做，并首先试图以计取胜。他在延平召集了一个由许多省里行政官员和参政会员参加的会议，但这些人聚集会场时，他却驱使士兵逮捕了这些官员并投入监狱。同时他分遣部队沿闽江而下企图围攻福州。然后他向现省

第十八章 地方政治

长前海军上将宣称,如果省城试图抵抗,他将杀掉被捕的所有官员。但是省长没有理睬他的威胁而是部署了防御措施。这样安邦被迫调动了所余部队去攻打省城。

福州市主要由海军占据,部队中许多分队是从中国北方来的士兵。他们和当地没有联系,所以既不受安邦威吓,也很难买通。因此虽然安邦动用了他最强的兵力,也不能降服这座城市。福州坚守住了。

在这场内战中,古田县区突然变成了一个非常重要的战略地点。在这里发生了一件事,在客观上影响到了安邦事业的成败。眼看着这一地区的重要性日增,安邦便派自己的心腹赵孟到那里去。赵孟最近刚刚荣升为将军,被派到古田来主要是为了监视齐亚魁上校的行动。这位上校是古田人,而且在此地驻防很久了。赵孟将自己的兵力沿西路分散开来,派一个分队驻守古田市。

赵孟到达古田时受到齐上校的热情接待,齐上校现在已成为赵将军的下属,至少在名义上是这样的,两位军官看来相处得不错,经常互相设宴款待。

这样的筵席往往由齐上校的姨太太作陪,她早先是一个妓女,现在却是个长于军事筹划的女参谋。她很注意培养训练当地在校学习的良家女子并和她们交朋友。因而,在这样的筵席中如能加上她们的特有的诱惑力,是会产生重要后果的。当听说赵孟也想找个有文化的女子做姨太太时,齐姨太立刻非常高兴地要在宴会上引见几个在校姑娘给他。赵孟想要个有文化的姨太太是因为他自己没文化,他想让她帮助处理机密信件及公文,同时也为了装点一下自己目前的新职位。

当赵孟接到齐上校的邀请,并附信称将介绍给他几个有文化的姑娘时,赵孟欣然接受了。他一点儿也没想到这会是什么奸计。当天晚上他带了四个随从离开军营赴约。客人们受到热情接待,先是喝茶吸烟。酒席设在内院楼上,只有上校、将军和姑娘们入座,四个卫兵则在楼外另厅款宴,边吃边喝。酒宴进行得十分愉快。齐上校有个副官唐中尉,个子高块头大,是个出名残忍的刽子手。他也来参加宴会,但来得很迟,他很有礼貌地向各位道歉。

酒酣之际,唐中尉拿了一杯酒歪靠在赵将军身上。当赵孟接过酒杯时,站在身后的中尉突然用双手紧紧地钳住他的脖子。赵将军喊道:"别开玩笑,中尉!"而中尉回答:"这回不是玩笑!"猛然间意识到自己生命攸关,赵孟痉挛着手插进裤袋摸出自己的手枪,但齐姨太眼疾手快早把枪夺走,并闪电般地用它抵住赵孟的头上并扳动扳机。这位新将军立即倒毙了。

在这场混乱中,所有的女郎都爬到桌下或缩在墙角里。齐上校简直怕听枪声,甚至听不得爆竹响,只是站在那里发抖。桌椅俱翻,杯盘狼藉。

楼上枪声一响,赵孟的四个卫兵立刻跳出来,但其中三个被抓或杀,只有一个逃回报信。但也晚了,齐上校早已布置兵力包围了军营,命令他们缴械投降。有一部分赵孟的士兵抵抗了一阵,也终被镇压。

这件谋杀案发生在夜幕之中。第二天清晨,海军便开进古田市与齐上校会合。齐上校显然事先秘密与海军联络,干掉了赵孟以便投靠省里的势力。由于他的夜间所为,很快他便被提升为将军。他与海军合兵一处,沿西路向西攻打赵孟的其他部队。

听到赵孟被杀害一事后,安邦立刻从延平调出自己的部队增援湖口镇的防守,并力图向古田县市方向挺进。他的部队抓老百姓来搬运军需品,并且对待他们极为凶残。所以每当安邦的部队到达一个市镇或乡村,那里所有的居民都要跑掉,只留下一两个老人看管房屋。

有一件偶然的事发生在东林店铺前的大街上,它足以说明安邦的部下是多么凶残。部队抓了一批民伕运送军需,他们被绳子前后拴连,在马鞭的抽打下步履艰难地赶路。由于劳累和病弱,有一个民伕倒在路旁,他紧紧闭着双眼,昏死过去。无论多么凶狠的鞭打,他也不能再站起来了。一个士兵提了一桶凉水猛然泼到他脸上,但仍然不省人事,于是把他丢弃不管了。部队过后东林出来搬动这具死尸,却发现他胸口尚有微热,就赶忙抬到店中,安置在舒适的床上,给他喂进几口热汤。渐渐地这个民伕恢复了知觉,深深感谢东林救了他一命。

安邦的部队沿着西路败退到黄村。由于金翼之家筑有防御工事,他们便占据作为司令部。这时黄家人都逃光了,只留下五哥和伯母林氏照看门户和财产。

黄太太和女儿珠妹当时住在福州三哥家里。四哥由于担负了卖鱼运鱼的工作,也正在福州。由于省城与闽江上游地区的音讯联络已完全中断,在福州的黄家人就十分惦念家乡的情况。尤其是报纸上说双方战斗就在黄村和湖口那一带进行得最激烈,更使人心焦。

严重的战事迫使湖口店里仅剩下的东林和凯团两人,最终也撤离了这个市镇。他们逃进深山,在那里遇上了四嫂和第二个五嫂以及他们的孩子们。大哥和二哥也都携家躲入深山。村民们在深山中建起临时的家舍,把女人和孩子们安置在中心,男人们在她们外围。

在两边军事力量互相争雄的战事中,所有村民除了躲藏什么事也不能去做。他们对这场战争毫无兴趣,也不清楚战争的原因是什么。比如一次一个不识字的黄村农民,从驻守在对面村山头上的海军部队那里,带了一封信给敌对的安邦部队,为此他得到两块钱的酬金,为自己交了好运而喜出望外。但是第二天当他拿着一封回信又送交给海军部队时,他们不讲任何原因就开枪把他打死了。这下震惊了所有的村民,再没一个人敢出现在两军之前了。

在这段可怕的时间里,金翼之家一直是由五哥照看。也正是他担任了山中的难民和镇上家里之间的秘密联络工作。他带给难民们关于军队动向、战斗进展及一般人民状况等外界消息。一个漆黑的晚上,五哥筋疲力竭地回到山里难民的驻地。他这副样子使家里人十分吃惊。原来他被安邦的撤退部队拉去搬运物资,只是快到湖口镇时他抽身跑掉了。

五哥跑回来是要告诉父亲和其他人应该向东面县市的方向转移,因为他看见安邦的增援部队已经开上来而且有消息说马上就要反攻。这个建议引起了山中这群人的一场争议。东林很犹豫,他并不乐意再到远处去。大哥坚决主张不做任何转移,并极力怂恿东林留下来。

争论的中心是围绕保护他们的房屋和财产问题。五哥强烈建议父亲放弃看守门户的想法,这样不仅房产家财不能保全,连性命也会丢掉了。他争辩说即使房屋损失掉了,他们还可以去福州三哥家。大哥的想法却不同,他在这儿有自己的家,而别处却没有他容身之处。所以这儿房屋的损失就等于他的家庭毁灭。此外,他也生怕叔叔一家转去福州。大哥很清楚,如果没有叔叔,他将肯定在经济、政治、社会等各方面都会陷入困境。他很清楚地看到,这些年来他变得富裕昌盛,完全是由于依仗着东林的庇护。东林在社会上有着广泛的联系,他的儿子们同地方上的绅士、官吏们也都颇有交往。

幸运的是,在从这一地区转移开的决定不得不做出之前,安邦的反攻势头已经过去了。开头安邦部队曾有进展,但很快即被齐上校和海军的联合部队击退了。最后,这个叛逆退向北面。古田县区的失利使安邦的军队分为两截:一部分围攻福州,另一部分留在闽江上游河谷延平市的老巢一带。围攻的部队随即也被赶出,沿着山路向北撤,许多人最后被俘、被追击或被打死。安邦也被逼迫困在闽江上游河谷一带。

东林和他的家人从深山避难处返回家园时,发现他们的房屋还依然存在,虽然财产被抢劫一空。安邦手下人仇恨村民和市民们向着政府军一边,把店铺里的钱财席卷而去。东林和大哥及其同伙的店铺,每家大约损失近两万元,几乎濒临破产。

东林一家面对这种损失,除了抱怨之外,别无他法。事实上这种地方上的政治纷扰以及内战造成了更为严重的后果。它们践踏了全省,古田县区尤为惨重。黄村与湖口市几次沦为战场,遭受了严重的骚扰和深刻的创伤。可以想见整个小乡村日常恬静的生活已荡然无存。两个敌对的势力,突然间闯入这里的生活中,抢走了一切他们垂涎之物,毁掉了无法携带的剩余财产,而后互相开火争雄。杀戮、流血、伤亡充塞于整个生活之中,绿色平和的山坳与精心修整的田畴,转眼间变成了火与血的土地。

生活停滞了。市镇与乡村中见不到牛马,房屋和店铺一片破败。牲畜被杀掉充当士兵的食物,有价值的东西一律属军用。商店不再开业,田园已经荒芜。河流像昔日一样流着,却再也看不见有人撑船,唯有战后留下的尸体在水中漂浮;阳光下的大道仍然空荡荡地伸向远方,却已经没有人们的足迹。

黄村自其远祖以来从未遭受过这样的劫难。金翼之家是最富庶的因而也是被抢劫得最凶的。不过毕竟损失只是暂时的,一旦战争过后,正常的秩序还是要逐渐恢复,所有人们也就会再回到正常的轨道上来的。

这段时间里东林对木材生意发生了特别的兴趣。战前他为此赚了些钱。现在他的木材生意越做越大了,并且从卖松木过渡到卖柏木,柏木是城市建筑业的一种上好原料。

内战结束后东林又带着工人上山伐木。他们放倒树木,剥掉树皮,锯成长约15英尺的木梁。待到雨季这些木梁便被顺流漂浮到湖口。然后,不再像松木那样装船运输,而是把这些柏木捆成筏状,雇四五个放排工撑杆放筏顺着闽江流水直达福州。他们白日漂泊,夜晚上岸歇宿。筏上搭起一座竹篷以供水手小憩或用膳。这段水路大约需十几天的时间。在福州这些柏木卖给批发商,由他们再装船海运到我国东北部,在那里的市场上拍卖。这种买卖颇有厚利,而且需求量也很大。

由于这片柏林很大,所以是由东林铺子和大哥他们伙伴的铺子合买的。整个夏季这里的木排不断放到福州市,在那里准备卖个好价钱。不少商人前来接洽但都未谈妥,东林和合伙人决定等到秋天好卖更高的价格。但是这次这些地方上的商人们却没料到外界国际上贸易和政治局势有了一个较大的发展变化。

1931年"九一八"事变,日本突然进攻中国,东北三省沦陷,与内地交通完全中断。东林及合伙者在福建内战后所投资的柏树贸易,只有船运到东北后才有价值,因为那里的采矿业需要用这种木

第十八章 地方政治

料。现在日本占领了东北,阻断交通,柏木的价格也就一落千丈。这项生意的完全失败,意味着无比的损失。大哥他们经营的店铺,开业几年已是几经挫折,现在再也不能维持下去了。

东林的店铺虽也遭受很大的损失,却还不至于破产。因为它毕竟还有较大的资本支持,并且有一班稳定的人手。大哥的伙伴杨林和云生失业后贫困潦倒,大哥则又回到叔叔那里做店员。两次开业的失败,大哥再也不敢冒险干什么事了,而是满足于留在叔叔的庇护之下生活。东林本来满可以拒绝留下他这个不顺从的侄儿,但是看在血族和家庭成员的情面上,他不能那样做。

这样,东林便放弃了木材生意,重新集中搞原来的鱼、米、盐贸易。四哥现已有能力并且也乐意成为实际上的助理经理,东林也就越来越依赖于他了,五哥则被派去福州贩鱼。现在这个店铺中的骨干人物有东林、他的两个儿子及老友凯团账房。店铺改组后经营效率提高,有相当长的一段时间经营顺利,以往损失的钱又赚回了一些,旧日的繁荣又有些恢复了。

但在安邦失败后的一段时日,地方政治仍时时表现出不安定。在上海英勇抗击日寇侵略的十九路军被撤到福建驻防,在他们支持下福建政府宣告独立,而中央政府又派兵来镇压。镇压起义的主要战场就在古田县区,当地人民重又蒙难。

同时,中央根据地在赣南的共产党,渐渐向闽西扩展。共产主义的原则广为传布,这一方面是通过共产党本身宣传,一方面又是通过那些攻击共产党的人所做的反宣传所致。由于紧紧地被政府军队包围,共产党人冲破包围圈散向不同的方向。有一支来到闽江上游河谷地带,与当地力量结合在一起。

很快,关于共产党来了的传闻已遍及闽江流域。三哥惦记家乡的情况,回来看望父母。他刚到湖口镇,发现闽江上游与省城的交通联络已变得很困难了。他郑重地劝说父母去福州躲些日子。但是东林老了,在以往所遇到的所有困难中,他都是到最后一刻才离开的。因此尽管三哥四哥不断劝导,他还是拒绝离开店铺。而年老的母亲,虽也很不愿再离开家乡,但她已经去过福州好几次了,这次也同样被劝离开了。珠妹已出嫁不在家里。最后,少台和妻子齐妹、四哥的两个儿子以及其他一些人,都跟着三哥再度离开了家乡。

当三哥带着家人来到湖口码头,看见已有许多人在那里等候轮船。三个小时后开来一条汽船,只在岸边停一会儿。仅有一小部分旅客有可能上船,幸好三哥他们想办法上去了,四哥也跟上来,想把他们送到水口。

当船行至水口码头,乘客必须换乘另一条轮船继续下行的路程,乘客们带着行李都尽一切可能地快速转船,因为谁都想确保自己不被落下来。在这场疯狂的混乱中,少台的行李掉入江中,他的妻子齐妹试图在无助的情况下跨上另一条船,结果也险些落水。当乘客们刚一爬上甲板,原先的那条船已启动开走。四哥本是不去福州的,但却被留在新换的这条船上。眼看着两船已离开六七英尺远,他也不能跳回去了。但他很快地跳到水里。吓得黄太太和三哥拼命地喊他。然而四哥安然地游到了岸上。

就在三哥带领一帮避难的家人离开湖口的那天晚上,镇上居民在市庙前聚会庆祝一个节日。戏班表演了音乐和戏剧。东林送走了妻儿,松了一口气,便也到庙里参加庆祝,直到夜半才回到店铺休息。

第二天清晨,一个厨师学徒打开店门,发现街上有一队陌生人,他们穿着军装,每人右臂上带着一个红箍,身边带着刀和枪。这个学徒砰地关上门,赶忙回来告诉东林,东林被这一消息吓坏了,立刻跳下床,收拾起所有的银圆和账簿,很快地分成三份。他让凯团和大哥各带一份,然后三人藏进地窖黑暗的入口处。这个地窖有一个通道连向镇上的街道。然后他们又仔细地将水桶及平常装鱼和其他货物的箱子堵住入口。这样没有人能知道他们是怎样逃出店铺的。

陌生人敲门时小学徒出来开了门。他们进来后并不注意这个小学徒,因为他穿得破旧,显然是个雇工,陌生人之一问学徒老板在哪里?他回答说早就逃走了。但询问者并不相信这话,因为他说昨晚庙会上还看见过这里的老板,他有一张宽宽的脸庞和白色的胡须。

这些陌生人就是人们担心已久的共产党人。他们在拂晓前占据了这个市镇,当时市民们还都在睡梦中。因为镇上没有正规军,他们便轻易地解除了自卫队的武装。这些自卫队在惊吓之余没有反抗就被缴了械。这些共产党人使用他们著名的游击战术。先派侦探扮成商人、农民甚至乞丐摸清情况,因而能在不知不觉之中占领了市镇。

大约中午时分,一队共产党人把金翼之家的所有妇女儿童带了出来。男人们都早离家出走了,妇女由老伯母林氏领头,孩子们都在十岁以下。当她们路过只有小学徒看门的店铺时,都失声痛哭起来。不像以往的军队侵扰民生,这支军队只是扣押所谓有钱的人,即市镇上的中产阶级商人吓跑了,雇工和农民则被解放,其中一些人还加入了搜索逃亡者的活动。

四哥在水口返回的路上听说了湖口发生的事。他径直回到村里,发现房屋都空了。他马上到处寻找这些被抓走的人并请求将他们赎回。大概共产党人看到这些人褴褛的衣裤和所表现的卑微的表情,就没有要多少赎金。付几百块钱就把金翼之家的人释放了。但被抓的人中有三个店主和一个市政官员。这个官员和一个店主由于与政府有牵连被杀掉了。另一个店主赔了一大笔赎金。第三个受到严厉的鞭打,并一直被带到水口市,最后也被赎出释放了。

这是东林从共产党人手中逃生的经历,他和凯团、大哥两天两夜一直在地窖入口处藏着。他们蜷缩在黑暗之中,忍受着饥饿和寒冷,窒息得几将昏厥。后来,当共产党人的卫兵稍微松懈,他们便跑到店中化装成乞丐,潜到黄村后面的山里去了。

共产党人占领这一地区的市镇和农村仅一星期之久。当他们从地方富豪那里征得了足够的钱,他们便集合起来转移了。

东林这次确实被共产党人给吓坏了。作为一个老人,他所受到的惊恐和吃到的苦头使他从山里回来就大病一场。但是一旦复元他又重新做起生意来。他老了,感到筋疲力尽。但他仍像过去那样挣扎着奋斗下去,然而他所得到的东西丧失得太快了。他现在并不富有,但自己的衣食住尚不成问题。他想的并不是自己,而是他们儿子、孙子以及将来的子子孙孙。他想到他们还要依赖于他的支持和保护,还要把从他开始的这一世系绵延下去。

的确,当东林又回到日常生活的轨道时,他又把一切归结于金翼之家的命运了。在这个小小的乡村、农田及市镇贸易的世界里,政治上的动乱将会多么激烈地影响到整个人民的生活,但这也只能是短暂的偏离常轨,它不可能阻止他们去争取生存。只要旧有的生活手段依然存在,就不会有多大改变。在富人和穷人之间,在农夫与商人之间,在高贵的绅士与卑微的乞丐之间,现在已不存在什么鸿沟,因为毕生的艰苦劳作可以为每一个人带来成功,而一生的不幸也会在一旦之间招致逆转。后来所出现的这种阶级斗争只不过在地方上带来了更多的一些麻烦,更促使地方景色和人际关系发生一些变化而已。

第十九章 水路交通

共产党人所引起的这一阵动乱过后,像以往的政治和军事骚乱过后一样,地方上又暂时恢复了相对的平静与秩序。没过两个星期,省城福州与闽江沿线的内地市镇之间的交通和运输又转为正常。当时有八条轮船往来于湖口与福州之间,每条船都彼此竞争顾客和货运,而船票和运费并无统一规格,航运时间也无具体规定。

后来福建省建设局负责管理全省的交通运输,制订规则,并促使商人和企业承办人的合作,既有利于公共秩序,也有利于企业赚钱赢利。每个内地港口都必须成立一个公司来管理向它注册的轮船,以便控制住以往的混乱局面并制止竞争。于是,按照规定要求,湖口港八条船的股东们便集合在一起成立了一个公司。

新公司由一个董事会和一个监督委员会管理。成立了一个行政管理部门,并由董事会任命它的成员。监委会负责监督船只的经营管理,并检查董事们的行动。董事共五名,由定期的股份持有人的会议选出。监委会有三名成员。当地最有权势的股东马南绍被选为董事会的董事长;他的女婿王齐檀,即王一阳的长子,被指定为经理。

齐檀是个大学毕业生,对经商没什么经验。有一次一艘轮船触礁,致使两名乘客死亡。死者家属向法院控告公司经营不善。

于是南绍和齐檀均被法庭传讯,但他们都十分害怕,躲藏起来不敢露面。由于没有负责官员,公司业务又陷入混乱境地。由此许多股东都很不满意。齐檀是个老实人,但他的秘书和手下人员被指控有"受贿"腐化行为。这样,每条船又像以前一样开始独立行动起来,而不再遵循公司制订的规章和行船的时刻表。

河上交通重新出现了以前那种混乱和竞争状况,这使得许多股东再次要求重新组织起来。五哥作为黄家店铺的贩鱼人及"江鸥"号轮的船长,非常积极地参加了这个公司的重组。五哥原是齐檀的朋友和赌友,但是一次争吵使他们之间的友谊破裂了。五哥便力图把齐檀从经理位置上赶走以便取而代之。

在那条轮船出事之后,只剩下七条船了。每一条船都仍有自己的股东组成自己的组织,在新公司成立之前各自管理本船的事情。"江鸥"号有120个股份,分散在各种各样股东的手中。其中最大的股东是三哥,掌握30个股份。其次是三哥的新婚妻子,即新三嫂,握有25个股份。三哥的第一个妻子素珍前一些时候去世了,他便和一个大学生结了婚。这位新三嫂把自己大多数的资本都投资到轮船上来。此外,东林的店铺有20个股份,大哥自有15个股份。剩下的30份则是分散在许多小的股东手中,他们多半都和大股东有些关系。实际上,这条轮船是属于黄家控制的,因为他们占据所有股份的3/4。三哥作为最大的股东,在这件事上成为黄家的代表。五哥虽然没有股份,但被任命为名义上的船长。当然,这是由于他哥哥和他家庭的关系。

其他六条船的组织情况和"江鸥"极为相似。每条船都有一个如同三哥一样的有影响的人作为背景,也有那么一个具有或根本不具有任何股份的像五哥那样的船长。前任董事会董事长马南绍,具有控制两条船的资本,他的女婿齐檀作为王家的代表则是另一条船的最主要的股东。其他三条船的情形稍有不同,但每条船的合伙者中,也总是有一个核心人物。像老梁、小刘、长邓三人即是,他们都是古田县区东路上的居民,是作为本地区店铺的代理人而住在福州。

当轮船公司陷入混乱时,股东们很快分裂为两派。一派由南绍的股东们组成,他们继续支持南绍和他的女婿。另一派的头目是老梁,他们想推翻南绍的控制。南绍派控制三条船:两条归南绍,一条归他女婿。老梁和他的朋友小刘及长邓控制另外三条。这样这两派实力相当。这就意味着"江鸥"的股东们具有关键性的一票,可以操纵力量的平衡了。因为他们不属于任何一派。

这种情况使得五哥很有可能在组建新公司中扮演一个重要角色。当他来到福州成为鱼贩时他也同时兼任着"江鸥"船长的职务,虽然他并不常在船上。他非常了解老梁,实际上当公司里的斗争刚一发起,老梁就来找过五哥,因为他知道五哥和经理齐檀的关系已变坏。这样他们计划将力量合在一起共同致力推翻南绍和齐檀。

但是,三哥才是控制着"江鸥"轮船的这一家中的真正的权力人物,而且谁都知道五哥仅是他在江运事业上的代表。因此下一步是五哥把老梁介绍给三哥,三哥还一直在英华书院教书并住在那里。他们在一起商量了有关事宜,并得出了具体的结果。三哥很清楚混乱对他的投资所产生的威胁,他想在争斗的双方中做出一些安排,以便解决公司目前的困难。

老梁力图彻底推翻目前的机构,因为他那一派人都痛恨南绍和齐檀。他把三哥推到前面,说他这一派全力支持三哥出任董事

第十九章 水路交通

会的董事长。五哥也帮助他的朋友敦促三哥行动起来。但是三哥的想法却不同。他并不满意去做老梁一派的傀儡。同时他与五哥不一样,他与南绍和齐檀的交情不错。齐檀是东林老朋友王一阳的儿子,又是三哥中学时代的同学并且从来都很友爱。三哥比较喜欢南绍,认为他是比较开通的商人,也受过良好的教育,他觉得像南绍和齐檀这样的人比老梁、小刘更靠得住。像梁、刘这样的人只受过很少的教育,他们出身于村野无赖,只是由于奸猾才在生意上崛起。

因此当三哥去拜会南绍并商谈这件事时,他并不想按照老梁和五哥他们的计划行事。南绍和齐檀很乐意三哥来访,他们热情地劝他出面重新组织公司,并希望他能调解当前两派的不和。他们建议三哥作为一个受过高等教育的人,又是在公司中有影响的股东,是能使两派敌对意见协调和解的最合适的人选。

作为调解者,三哥私下安排了两派头头的一些接触。他所采取的最重要的一步是重新改组董事会和监委会以及安排经理人选。经过几天商谈两派达成协议,确定一个日期举行七条船所有股东的会议。

会上三哥被选为主席。通常这种会议由董事长主持,但这次很清楚,偏袒任何一方的人都不应担任主席职务。大会进行了选举,结果正与三哥在两派之间的调停相符。在董事会里,除了三哥被选为董事长外,选出的四名董事,其中敌对的双方各占两席。监委会选出三名委员,老梁一派出两人,南绍一派出一人,外表看来似乎老梁一派占了优势,他在董事会和监委会中共占四席而南绍一派只占三席,假如不把居于中间地位的三哥算在内的话。但事实上,由于董事会主要负责公司的经营,而双方在这里席位均等,因此如果两方提出针锋相对的意见时，主席的态度即是决定性的了。

由于不能够决定经理的人选，于是董事会就授权董事长三哥暂时行使经理职能。为此，三哥在福州的古田会馆大楼内设立了一个办公室。因为他大多数时间忙于在学校教书，很少来办公室，所以也就主要依赖秘书魏成清办事。魏成清是他的学生，也是六哥小学时代的朋友。此外，三哥还雇用了两个服务员和一个法律顾问。

新公司就这样组织起来了。包括了所有股东，由董事会行使他们的最高权威，其下雇用一个经理和他的班底。从法律结构上来说，经理和他手下人要对董事会负责，董事会则要对所有股东负责。监委会负责检查公司业务的经营，它的任务是平衡董事会和经理之间的权力，使它们各行其职。从理论上说，经理和他的班底行使职权就是安排船货和制订各艘船的航行时间表，以及雇用船长及船员，并监督他们的航行。

公司组织的这种新计划是同它所注册的建设局发布的规章相一致的。建设局希望公司能有严密的组织，以便统一管理、经营顺利。但是实际上，公司本身的实际经营与局里的正式规定毫无关系，公司仅是个名义，它从来没有完全克服传统的分家分船的自治经营。

我们还记得这种轮船的买卖和运输最开始是由股东们自己组织起来的。在他们之中通常有一个最突出的人物总负责。每条船自成一个天地，它的船长、会计、驾驶员、厨师以及五六名水手事实上是由股东雇用的。这些受雇者自然要忠实于主要股东，他雇他们工作当然也可以解除他们的工作。公司的组成有了一些改进：

第十九章 水路交通

现在每条船都必须在航行时刻方面协调起来,为的是避免不必要的竞争,这在以前是行不通的。此外,在经营方面必须服从省建设局,如果公司方面具体管理不善,建设局有权禁止航行。

然而,公司的管理机构却无权干涉任何船上工作人员,尽管理论上这些人是受雇于公司的。公司确实接管了顾客的船费,没有这一项,公司就简直没有任何收入。但是轮船的更大收入还在于货物运输,而这笔进款是一直由每条船的船长和会计掌握的,现在不过是得由他们每月向公司呈报一次账目。通常,货物的运费往往是以记账的方式,到了年终才总结。所以在许多情况下,公司仅成了替各条船做记录,因为在大多数情况下这些货物往往是属于本船的股东的,而他们当初组织起来买一条船的目的就是为了运送自己的货物。

不管公司在字面上的规划同实际的结构出入有多大,公司一旦成立,便开始高效率地工作。管理工作运转得很好,秘书成清直接负责行船时刻表,要求每一条船一星期来回一次,这样每天都有航班。如果有过多的顾客和货物挤一条船,这样情况下,公司就通知下一条船提前一天航行。

当一条轮船被安排好上水航行,它的船长或代理人就要事先与市里仓库的商人一起把货物装上船甲板。比如"江鸥"船,五哥是名义上的船长,实际上是他在船上的代理人卫国负责处理日常事务。一旦货物装上船,卫国即将它们记录在案,包括总数量和种类、发货人及收货人,还有运费金额等等。最后,卫国还须将船行情况报告给公司管理秘书成清。成清便派一名服务员和两名乘警来收旅客的船费。警察是由政府派来的,不然有些旅客有时会不付船费的。

通常收完旅客的船费也正是早潮时,卫国便下令起锚。上水行至湖口要经过3个内陆海关检查站,卫国必须一一向他们汇报船里乘客及货物的情况,并付关税。货物要接受检查,而且往往十分认真。

上水行船这段航程需用一天一夜,下水航程则不到12小时。从湖口起航的装船事宜也是由卫国和店主安排,具体内容基本与在福州装船手续相同。

所有轮船运行都由公司统一安排,但财政自主。在新的管理下公司经营得相当成功,将近六个月以后发布的一项公报表明公司已有相当的赢利。

这次改组使黄家和东林的店铺又上升到一个可观的地位。黄家店铺的生意仍主要是米、鱼、盐。轮船运输盐、米既方便又经济。命运使得东林和他的家庭走向稳定,他们觉得往昔的好日子又转回来了。

在私人的事务方面,一家之长东林的权威仍然支配着他的儿子们。五哥的再婚就是遵循着这种老传统。我们知道五哥是"江鸥"号的名义船长,尽管他的朋友卫国实际主事。这份薪金卫国拿2/3,五哥则拿1/3。这时期,五哥的第二个妻子又去世了,留下了一个女儿。五哥一直希望能有个儿子,于是想再娶一个妻子。有一次他在船上遇到一个姑娘,说是认识他的妹妹珠妹。五哥跟她处熟了之后,两人便产生了爱情,姑娘答应嫁给他,如果双方家里都不反对的话。但是东林却另有计划,他希望五哥与一个离了婚的女人结婚,因为她拥有一笔财富,五哥最后只好很不情愿地再次牺牲了自己的爱情以遵从父命。这个女人被很简单地娶了过来,没有举行任何仪式,因为她毕竟也不是第一次做妻子了。

第十九章 水路交通

这位第三任妻子是在城市里长大的,她所熟悉的那些习惯与生活在农村中的妇女们不同。她发觉很难与婆婆及嫂子相处,她不乐意去干做饭、洗洗涮涮的家务事,反而总爱吃瓜子、饼干等零食,这在乡下人中是很少见的。

也许这次东林的判断是错误的。五哥并不能再像以往和前两个妻子一样愉快地生活,他们夫妇经常吵嘴,有一次她竟然敢拿一块银圆摔在五哥的鼻子上。五哥非常愤怒地离开家,此后大部分时间都住在福州。

有一天五哥被他的一位赌友带到妓院去,在那儿喝酒赌钱消磨时间,渐渐地他养成了睡在那里的习惯,和那些漂亮的妓女寻欢作乐。不久以后他染上了梅毒,但他不敢告诉父母和兄长们。最后他终于病倒回家。一天他突然从饭桌上晕倒口吐白沫。虽然慢慢苏醒了,但从此以后经常犯晕厥的毛病。

这段时间新五嫂生了一个死男婴,这使公婆对她很生气。五哥也恨她。所有家里的人都希望五哥有一个儿子能继承他的支系,女儿是不能继承父亲的。父母为他第三次娶亲就是为了这个缘故,但这次死产却给他们带来了很大的失望。

五哥外表上似乎已康复,东林就又叫他回福州去贩鱼。五哥在湖口待了两天等候轮船。他花了三个小时分别给三哥、六哥以及朋友们写了几封信。随后突然从柜台的椅子上摔下来,又一次口吐白沫不省人事。人们马上把他抬到床上请来医生,但是医生不能确诊,也无能为力。这次他再也没有醒来,过了三个小时他死去了,始终也没有说出一句话。

五哥的死讯震惊了全家。金翼之家的人不久前还都知道这样一个活生生的人,他们简直不能相信这个死讯来得这样突然。过了几天三哥和珠妹都赶回家来吊唁。年老的父母、四哥、三哥及妹妹珠妹都聚在五哥的屋里哭泣，他们十分痛心，不知为什么上天要在他的黄金年华夺去他的生命。

老东林悲悼五哥的殒没，反省自己的错误。如果不是上天要惩罚他的话，这样的不幸怎么会落在他家？这是当地所信守的一条法则。如果一个人清白有德行，他的一生中就不会有接连的破产和别的不幸，而现在五哥却可怜地死去了。这条严厉的法则使东林再也没有流露出过笑容。他此后严厉地责备自己，正是由于自己缺少德行，才给儿子带来了完全的毁灭。

五哥的死也沉重地打击了黄太太。几年来五哥成为她最依赖的一个儿子，因为他时常回来探望母亲。他童年时代的厄运以及三次结婚均无继嗣使得老母印象中他是最可怜的人。他死后几个月，有一次黄太太偶然看到几件他穿过的旧外衣，一时年老的身体再也承受不住悲痛的打击，她晕了过去。

四哥、三哥悼念五哥的亡故，想的很不一样。他们面临的是失去了一位竞争中的强有力的伙伴。五哥对家庭和店铺的建设很有贡献，他对社会福利、乡村事务管理的兴趣，以及在这一地区与人们的广泛联系等等是黄家和他们的事业所不可缺少的。他对改组轮船公司所做的努力，说明他在这个家庭中、这个店铺里以及江运事业的生意中占有重要的地位。

五哥的死给黄家带来很大的悲痛，可是人们仍需继续生活。每天到晚大家都很郁闷，而日常事务及对重大生意的安排处理又渐渐使他们恢复到平静的感情之中。只是六哥即将从北平回来的消息，又把人们引回到五哥去世的回忆中去。每人都想假如五哥还活着，这个团圆该多么令人快慰呀！

小哥年轻而有前途，不再如同以往那样"小"了。他已长大成人，但大家仍称他为小哥。他带回许多欢快的议论和鼓舞人心的消息。带着年轻人没有经验的热情，他劝告他的父兄们让过去的事过去罢，应该瞻望光辉的未来。由于小哥诱人的说理和口才，他的长辈们实际上都听从了他的话。欢乐终于再次出现在金翼之家，正常的生活又重新开始了。

　　小哥走访了市镇乡村之后，又回去念书了。轮船行驶在河中，小哥的思潮犹如掠过眼前的河流，将他带回到往日的记忆之中。他记得有一次也是站在这儿，和他死去的哥哥一起，为乘船回家而高声欢呼。他再也抑制不住压在胸中的悲痛。尽管仅在前一刻他还尽力与父兄们畅谈，以驱散笼罩在他们身上的悲哀；可是现在，看着家乡的水流、河岸、轮船、市镇，一切仍这样熟悉，唯独不见了五哥。他的位置永远也不可能弥补了，小哥的热泪一下子涌出了眼眶。

第二十章 僵局

五哥之死对于黄家产生的影响,远比开始时显现出来的更大。直到五哥对于家庭事务,对福州的渔业贸易,特别是在江上贩运以及轮船公司的影响力都消失以后,在重新组合的公司中,潜伏于两个派系之间的冲突,再次爆发为一场激烈的斗争。在很多方面,冲突反映出旧方法被新方法所取代。黄家没有人能躲避更大的纷争,尤其像三哥和其他在城市以及沿江谋生的儿子们,所面临的冲突远远比在家庭乡里以及市镇店铺中谋生、现已准备退休的东林要多。五哥曾经是联系他们所有人的强有力纽带,他曾是一种力量,以他的友情和对于老的沿江商贾们的同情,维持了轮船公司的整体性。现在,一旦他逝去了,活着的兄弟们不得不独自去应付可能发生的一切事情。

这样,即使是离开学业暂时回到家乡的六哥,也不能逃脱被卷入家庭命运的一连串事件。公司分裂之际,他恰巧在场。六哥回到福州,与三哥住在一起。三哥住在市郊南台岛的一幢公寓里,这里通过长寿桥与市区连接。三哥和六哥兄弟俩愉快地共同生活着。与一般兄弟间时而敌视、时而亲热的情形大不相同,他们彼此间开诚布公,友好相处,讨论着人生中各个方面的问题。兄长作为一位教育工作者和行政管理者,能够提供他的实际经验,弟弟从中获益良多。六哥在科学和历史方面有较高的理论修养,当轮到他

第二十章 僵局

表述看法时,三哥感到很有兴趣。

一天,哥哥从轮船公司办事处回家,告诉弟弟,那天有一位船长试图迫使秘书成清改变一次预定的航行。面对秘书的拒绝,这位船长几乎使用了武力。这仅只是公司众多麻烦中的一个事例,因为公司是那样组成的,以至于顺利经营已没有可能,六哥建议他把更多的精力放在教学方面而少去过问管理公司的事。但是三哥觉得,只要公司能组织得好些,有希望从中获得厚利。无论如何,他的全部精力被教学占据了,于是他试图找一个人代为经理,采取必要的措施,以便真正改善公司的经营。

在事态的转变关头,恰好六哥碰到了被罢黜的前经理齐檀,他被邀请到家用晚餐。三哥也来作陪,三个老朋友高兴地谈着。受到重新团聚的鼓励,三哥问齐檀是否愿意再次担任轮船公司的管理职责,并对此事做出了正式保证。齐檀看来是很合适的人选。

于是,三哥邀请董事会成员们到他家吃晚饭,并召集了一次会议。但是老梁和他的一位朋友,这两个董事拒绝前来。他们通过曲折的途径听说,召集这次会议是要恢复齐檀的经理职务。他们强烈地反对这一计划。会议在他们未参加的情况下召开了。三哥和南绍的两个部属构成了董事会的法定人数。然而,齐檀看出老梁那派人仍然反对他。他请求三哥任命他的堂兄弟齐昆代替。齐昆是立阳的儿子,惠兰(茂德的再婚寡妇)的弟弟,看来同样能胜任这一职务,取代齐檀担任经理。

会议一致通过,任命齐昆为经理,老梁那派人对于这项决定非常不满意。他们指责表决不合法,因为他们还不习惯于多数法则,不习惯一票之差就能决定出如此重要的事情。他们不喜欢齐昆,因为他是齐檀的堂兄弟,他们害怕齐昆会完全按齐檀以前的办法去做。他们也担心齐檀会在幕后操纵,使齐昆不过是徒有虚名。

确实,齐檀在幕后行动着。甚至在调换经理之前,齐檀就草拟了一封信,解雇包胖子公司法律顾问的职务。包胖子是老梁的亲密朋友,是老梁把他介绍到办事处来的。齐檀之所以这样做,是为了试探老梁一派的态度。但是,作为董事会的董事长和公司的经理,三哥必须签署解聘书,因此,包胖子变得更为痛恨他,其程度超过了对于自己老朋友老梁的敌人齐檀的仇视。解聘是很严重的事情,因为他丢失了面子。

结果,当齐昆接管办事处时,老梁一伙派他们的船长和水手,捣毁办事处。这帮人的大多数,是以街头的恶棍起家的。他们粗暴地向办事处冲击,用最鄙俗的水滨口音怒骂并威胁公务人员。可是,齐昆刚好是个倔强的人。过去他和堂兄齐檀一起在大学读书,自己却没有毕业,但他具有更大的决心和勇气,他很快把他们赶了出去。

齐昆不顾种种威胁的抱怨,很快地成为一位认真的经理,严肃地担负起他的责任。首先,他到建设局,向那里的工作人员清楚地解释了他的立场。他告诉他们,他的意图是要把公司办成贯彻局方很早以前颁布的各种规定的真正的企业。他因此获得到了局里的全力支持。

其次,在齐昆指导下的行政办事处,试图接管征收货运费用的工作。这一改动极大地震惊了老梁那一派人。老梁反对成立合法组织的主要原因是,他害怕财权集中于行政管理人员之手。如果财政集中的计划成功,公司至少将出现彻底组织起来的控制等级,乃至命令会从董事会下达给经理,从经理到行政人员,再从行政人员传达到所有轮船的全体船员。对于每条轮船的特殊的控制,即

第二十章 僵局

重要的股东对自己的雇员的控制将被打破。此后,每个股东在公司中虽然还握有他的股份,但实际上却失去了他们的轮船。船只将属于公司,而不是属于原先买船的商人们。

于是两派利益的冲突迅速达到了严重关头。马南绍在公司中不再有办公室,但他仍是他这一派的首脑人物,并从幕后决定着这一派的行动。他的女婿齐檀积极地帮助齐昆施行其改革方针。甚至三哥也与马南绍全力合作。事实上,他们的派别包括所有受过良好教育、学习过贸易与商业组织方面的先进方法的人。他们相信,把经济权力集中于管理办事处,将使他们能够更直接地控制每艘轮船的行动,并能雇用适宜的船长和船员。他们努力争取淘汰私人股东和船长中的腐败成分,这帮人顽固地坚持他们的船是自己的个人财产,而毫不关心江运贸易的共同利益。

对于这个问题,老梁那伙人想的完全不同。他们本来是每一条船的主人,他们像东林一样,只希望便利自己的货物运输。东林本来会赞同他们的观点,但东林已从实际的商业事务中退休,真正起决定性作用的已是他的儿子们,而且他们早就把江运系统视为一个独立的企业。老梁和他那一派人仍旧把轮船看作他们正常的稻米、鱼、盐生意的辅助物。像老梁、小刘和长邓这些人,虽然仍有影响,但已不能控制轮船的很多股份。他们以前名义上同意公司成立,只是为了必需在建设局注册的缘故,不登记则无法获得轮船运输的许可证。但是,他们仍然希望能要求船长们靠赊欠装载他们的货物,一年左右之后再偿付账单。如果办事处以现金形式征收运货费用,他们肯定会丢掉资本带来的利润。

因此,当齐昆发布命令,要以现金形式征收货运费用时,老梁和他那伙人极为恼怒,他们煽动雇员们——船长们和水手们,给管理办事处制造尽可能多的麻烦。他们的雇员们倾心支持主子,因为他们被告知,如果办事处能成功地贯彻其方针,他们将失去自己的工作。

同时,长邓被派来同三哥谈话,企图达成妥协。在三哥面前,他愚蠢地把抱怨集中在对于齐昆的任命和对包胖子的解聘一事上,而忽略了实质性的、更大的问题。三哥回答说,他不明白老梁为什么拒绝出席会议。董事会以多数票通过了任命,而他们事后才表示不满,这是很不公平的。至于包胖子,他拿了大笔薪金,却没做过任何事,而现在聘用的另一位法律顾问,所拿薪金要低得多。最后,长邓说出了他那派人真正的愿望。他们希望三哥把办事处恢复为以前的状况。可是三哥坦率地表示拒绝考虑这一要求。

于是出现了僵局,妥协不可能实现。老梁和他的朋友们悲伤地想到,如果五哥还活着,他会设法照顾他们的愿望。五哥对老梁一派是很友善的。他是说服他的长兄三哥的最合适的人。五哥曾是最初连结老梁与三哥的发起人,因此才使改组成为可能的事,并随之办起了公司。五哥站在执拗的老梁一方,而三哥则站在富裕的马南绍一边,两兄弟共同维持了双方力量间的平衡。他们了解双方内在的问题。很不幸,现在更为接近马南绍一派的三哥,很难再保持对老梁一派的信任了,而后者也不信任他,对于三哥来说,此时他也感到五哥的去世意味着莫大的损失。因此,从某一方面讲,一个人的去世确实摧毁了整个轮船公司。在遭到最终的挫败之后,老梁这派人再不与三哥进一步联系了。他们开始像仇恨南绍一般痛恨他。他们嘲讽他,质问他,如果没有他们的支持,他怎么能当上董事会的董事长。他们指控他与他们的反对者搞阴谋诡

第二十章　僵局

计来对抗他们,并且决定驱逐他或者毁灭他。

精力充沛的齐昆接管了经理职务和经营责任,三哥相对自由了,他把更多的时间和精力投入了教学工作。他现在是华南学院的化学教授。以这种资格,他被派作学院的代表,到中央政府所在地南京参加一次国防会议。政府召集国内的所有专家协助制订国防政策,把这些人请到首都来进行讨论。日本对于中国本土的侵略只是个时间问题了。来自南京的有关参加会议的命令是秘密的,这是三哥不打算公开宣布他离开福州的原因。

三哥打电话给齐昆,请他尽快悄悄地结束公司现在的生意,立刻发送所有文件来让他签字,因为他即将动身去上海。但是,三哥要离开的消息还是泄露了,很快传遍了全城。

出发的那天,三哥由他的妻子和六哥陪伴来到长寿桥边的码头。他们登上开往上海的轮船。开船前五分钟,正当一名水手敲锣催促所有送行者下船以及三哥同他的妻子握手话别之时,两名地方警察突然冲入客舱,逮捕了他。六哥已经到了岸上又飞奔回来。看到三哥被警察抓住,小哥央求他们逮捕自己来代替哥哥,并解释说,他哥哥在上海有非常重要的使命。然而警察却说,这是一个犯罪案件,没有人能够代替他。距离开船只剩一分钟了,警察紧紧地抓着三哥,六哥和他的新三嫂只得返身登岸。

新三嫂把行李带回家,六哥陪着哥哥去地方法庭。在路上,兄弟俩看到小刘正坐在码头边的一辆人力车中,于是恍然大悟,他就是向警察密告三哥客舱位置的人。

的确如此,老梁一派人又多次聚首,商量如何对付他们的对立面。包胖子,就是那个被从办事处解雇因而丢了面子的律师,恶毒地图谋废黜三哥董事会董事长的职位。包胖子介绍支持老梁的这伙人去找叶律师,叶律师在城里以通过"后门"打赢官司而著称。从传闻听说三哥要去上海,叶律师立刻抓住了这个可能诋毁他的机会。以小刘和长邓的名义起草了一份控诉书,他们两人都是公司管理委员会的成员。控告书提交给了地方法院。三哥被指控携带公司基金万余元,企图躲到上海去。由于这一指控,地方法院立刻派出两名警察去逮捕三哥。起初,小刘把警察带到三哥家,但是他欺骗他们,说三哥不在家。他贿赂他们,让他们等到第二天清晨,他知道,到那时三哥要上船。在船上逮捕三哥,将是更为明显的证据,足以证明三哥图谋携公款逃遁。

这样,三哥被带到了地方法庭,在候审室中等着。一会儿工夫,齐檀、齐昆、成清和赵律师——公司新聘请的法律顾问,都到法庭来帮助三哥。小刘、长邓和那一派的其他人也来坚持他们的指控。检察官召集控告人小刘、长邓,以及被控告者三哥。听证在检察官的私人办公室中举行。两派的很多成员都在外面焦急地等待着结果。

在室内,检察官先转向原告们,倾听他们的指控。小刘和长邓重复了他们的指责,说三哥盗取万余元钱企图逃跑。最后,当检察官转向三哥时,被告只是静默地呈递了来自中央政府的文件,上面记录着让他为了国家防务而去上海的使命。三哥请求检察官不要将此事公开,因为政府严令保守机密。读过了文件,检察官立刻转向原告,并且申斥他们在制造麻烦。长邓和小刘仍然愚蠢地企图强调他们的指控,把被告说成是盗贼。检察官命令他们住嘴。他说,现在他知道了三哥是什么样的人。他警告他们不该妨碍教授阶层的人,他正为了全国的利益,要离开此地去执行一项任务。检察官再一次转向被告,允许他去上海,并说等三哥回来,他再裁定

第二十章 僵局

这一案件。

听证驳回之后,小刘、长邓这两个原告感到非常震惊,他们丝毫不知道三哥竟持有这么重要的秘密文件,以至于使检察官立刻很明显地倾向于他。叶律师建议他们检查管理处的账目簿册,以图发现过错,哪怕是细枝末节,只要诉讼能够继续进行就行。

三哥从南京回来后,案件重新审理。这次由另一位姓李的检察官负责,这个人由于接受贿赂而臭名昭著。但是,三哥认为他的情况是很简单明白的。三次听证之后,李检察官判决说,原告可以把对被告的指控提交地方法院。

对于检察官办公室的决定,三哥非常气愤,这场官司只得继续打下去了。他为没有贿赂李检察官而懊悔不已。由于没有行贿,他丧失了停止这件讼案的机会,如果他在检察官听证时能够取胜,即可以使诉讼不再进行。事实上,他的秘书成清曾经试图征得经理齐昆的同意而秘密进行贿赂,但他没对三哥说,因为他怕被告在审问时变得紧张。后来,成清得知另外一派给了更多的赂金,因此裁决与他先前料想的完全不同。

当三哥被警察从轮船上带走之后,消息迅速传到了湖口镇和黄村,成为当地人们的主要话题。东林的儿子掉进了"衙门的陷阱",东林焦虑万分。他尝受过诉讼的痛苦以及地狱般铁窗生活的煎熬。黄太太平素为极小的一点骚扰就发愁,此时此刻,她对这个意外的消息更感到惊吓。年迈的父母立刻离开他们依恋的家乡前往都市,希望在诉讼进行期间到场。四哥在店铺里也待不住了,他把经营铺子的事留给凯团,也去了福州。在三哥的寓所中,现在住着年老的双亲、兄弟三人、新三嫂和她的孩子,讼案是全家人讨论的中心问题。

尽管东林年迈力衰,他还是遍访了他往日的朋友和同事。他认识老梁一派的许多人,试图通过这些人劝说那派人停止对三哥的指控。老梁和他那些人热情地款待老人,高度赞扬他的善意。但是他们看出老人已经丧失了对于儿子的影响力,他们也不想再利用他了。

现在东林成了一位爱唠叨的老人,他常常像孩子一样想说什么就说什么。由于害怕父亲会无意中泄露他们对付老梁一派的计划,三兄弟——三哥、四哥和小哥,经常在东林不知道的情况下聚在一起商量。他们力图宽慰父母,并向他们保证不会有败诉的危险。

由于已逢古稀之年,东林的确逐渐失去了在家庭内外事务中的影响力,但他作为一种象征,比以往更加受人尊敬。他已经谢顶,周围是银白的长发,东林看上去像个退休的政界人士而不像商人。这些日子他重新快活起来,几乎像个孩子,他喜欢和他的小孙子们闲聊,带他们去参观旧城,或去看戏。

像步入衰老之年的常人一样,东林没有更多的奢望,只期待着看到儿孙满堂。比起过去,他目前更是家庭团圆和成功的象征。大家对于他的信任给了他快乐,因为他相信,他的儿子们所有的优点和成功,都不过是他自己德性的反映而已。

当东林在城里赋闲之时,他的儿子和同事们仍在为轮船公司的管理和诉讼案周旋。为了取得股东们进一步的支持,三哥在古田会馆办事处大楼中召集了一次全体股东会议。他相信他和南绍的支持者们将控制多数,到此为止董事会所推行的方针将获得批准,并会给予他信任票。然而,老梁的一派人已准备好搅乱会议,不允许进行任何导致投票表决的举动。老梁带来了他的船长、水手们以及一些街头恶棍作为他那派股东的代表,而他们真正的任务是骚扰滋事。每当出现一个提议,这帮人就吵嚷一番。一会儿,他们大叫起来,推椅子、扔铅笔和纸片,打断了会议。股东们渐渐散了,胆小怕事的齐檀也走了。只剩下很少几个人,即黄家三兄弟、齐昆和秘书成清。他们被流氓们包围起来,然而直到会议毫无结果地解散为止,他们一直坚持自己的立场。

第二次召开会议时,进行了精心安排。会议在市内一家著名的饭店举行。带着手枪的市内警察,被请来坐在大厅的后面,以便确保不许街头流氓进入,于是没有人企图打断会议。老梁一派人到达后,立刻认识到会议的严重性。由于警察在座,他们明白再要搅乱会议是不可能的。他们改变了策略,雇佣了几个直率的人为他们的意见做辩解。但是这些发言人极为粗鲁,提出的论点也毫无道理。他们的策略又失败了。尤其是他们的理由被一些学法律的学生驳得体无完肤,这些学生是六哥的朋友,是专程前来帮助他和三哥的。这些年轻的法律系学生雄辩滔滔,轻而易举地战胜了对手。

老梁感到无计可施,从会上撤回了他的全部人马,但是多数股东还是留下来了,会议得以继续进行。会议提出了一项动议,即起草一份给地方法院的请求,马上被通过了。他们声明股东会议为三哥——董事会的董事长及经理做保证人。相信他的工作做得很好。

但是股东会议的担保并未生效。老梁那伙人除去"走后门",还伪造文件,利用制造假证据等卑劣手段来达到目的。这种伎俩的一个例子是,他们雇来一个街头乞丐作证人,他发誓说曾经花了几块钱从一个股东手中买来一张免费船票。办事处向大股东颁发过通行证,可以免费乘坐所有的轮船,为他们的旅行提供方便,原告指控说,三哥管理下的办事处曾卖给这个证人这样一张票,这是不法行为的一种反映。轮船公司的赵律师征得法庭同意,盘问这个乞丐证人湖口镇的景色,以便判明他是否确曾到过湖口,乞丐全然不知所措。他的愚蠢引起了旁听者的哄笑。

然而,伪证和贿赂还是起了作用,三哥被地方法院判处监禁六个月。这一判决使三哥和他的一派人极为愤慨。他们立刻把案件提到更高一级的法院,准备与老梁一派彻底决一雌雄。

两派间的冲突愈演愈烈,整个古田县区都卷了进去。当地的绅士们,像雷吾云、王齐祥、陈大川、陈香凯等,一起来到福州,敦促双方达成和解,不要把本地区的资源白白耗费在毫无意义的进一步争讼之中。从地理上讲,尽管马南绍和三哥一派代表西路一带的居民,而老梁一派代表东路附近的居民,但竞争双方毕竟都属于古田县区,在古田的历史上还从未发生过涉及众多显要人物的如此重大的冲突。

两派终于被劝说考虑达成协议,那是一次安排好的宴会。双方所有重要人物都被邀请赴宴。主要的竞争者、中间人和律师都出席了。大家签署了一份和解协议。然而,三哥和南绍一派提出的主要条件——从法院撤回讼案,却未被接受。两派人的仇恨如此之深,特别是在几次审讯之后,彼此在每一事件上再也不能相互谅解和信任。尽管绅士们多方斡旋,协议仍不过是一纸空文。

这样,凭借着在三哥办事处的簿册中所发现的几处细小的账目误差,他的对手通过伪证又加以夸张,于是三哥仍被判处要监禁三个月。直到案件被呈递到最高法庭时,他才赢得了胜诉。省法院最后不得不把案件的全部证据送到首都,在最高法院,贿赂难以

第二十章 僵局

买通关节,对三哥的指控也就以失败告终了。三哥终于脱离了被监禁的威胁,于是轮船公司在他经营下重新出现了进一步发展的生机。光明的前景再次展现在眼前,老梁一派终于一败涂地。

其实,对于黄家、湖口镇以及整个古田县区,前景都是光明的。只是所有的人都想得太简单了;命运带来了更大的灾难,而这灾难笼罩了整个中国。1937年7月7日,日本士兵在北平郊外的卢沟桥突然向中国人开火,日寇对于北部和南部中国的侵略开始了。全中国燃起了抵抗这一突发的大规模入侵的熊熊烈火,中国政府迁都重庆,准备进行长期的抵抗战争。日本飞机灭绝人性地狂轰滥炸,在很多城市杀戮无辜的居民。福州也不例外。死亡每时每刻都会降临,财富将毁于一旦,社会秩序也到了崩溃的边缘。轰炸和封锁迫使人们移居内地。黄家也迁回到老家黄村,东林又重新居住在很久之前他兴建的金翼之家。他把店铺留给四哥,而生意收缩到如同刚刚开业时的很小的规模。福州和内地之间的运输时常停顿,轮船也被毁坏了,公司的股东们失去了他们所有的资本。三哥随同国家建立的各学院大规模地迁徙,转移到福建西北角的山区。他也只能和同行们一起糊口度日。内陆是他们黄家的发祥地,现在这里的人们再次试图战胜他们命运中的严重危难。

在抗击日本侵略的岁月中,1941年春天,福州完全被敌人占领了。随之而来的是种种残暴兽行:轰炸、残杀无助的市民、纵火焚烧房屋及财产、掠夺、奴役、强奸和屠杀。人们已无以度日,失去了最起码的生活手段。到处笼罩着死亡和混乱。内地村庄与外部世界的联系完全被切断了。湖口的商店,包括东林的在内,都不可能再成为沿江交换咸鱼和大米的中间场所。

目前仍然是以东林为首的金翼之家,经历着最严酷的考验。

这次考验是全国规模的。这一家所遭受的经历和艰辛,他们的流离辗转,连同当时全国人民所蒙受的苦难,值得写成卷帙浩瀚的巨著。黄家人和其他爱好和平的人们被卷入战争,备受磨难,但他们为正义的胜利和美好的未来贡献了自己的力量。

福州一度收复,但在1944年秋季又被敌军占领。日军打过洪三桥攻入内陆区,试图向闽江上游推进,这就极大地震惊了内陆农村的居民。留在金翼之家的人们再度背井离乡。东林的老伴黄太太尽管年迈疲惫,也几次被迫出走。先是离开老家去女儿珠妹家,后又转到福建北部山区,到他的大儿子三哥那里。四哥在湖口被炸弹炸伤,一度卧床不起。六哥,东林最小的儿子,跟随着大批知识分子撤到大后方,一直在西南省份中为国家的抵抗和重建从事边疆建设工作。他与家中的联系完全中断了。没有信函能从沿海省份递进到内陆地区。

金翼之家为军队贡献了年轻人。东林的两个孙子——一个孙子,一个侄孙,加入了军人的行列,为了保卫家乡,在前线打击敌人。他们大约是在1945年5月中旬和前线队伍一起收复福州的。

东林已经70多岁了。他拒绝了孩子们让他离开家乡的请求。他仍然像年轻时一样拿着锄头又干起来。几个孙子在他身边,跟他学种地。这是这里的人们首要而又持久的生计。一架敌机在他们头顶上掠过,孙儿们仇恨地仰视着天空,但是老人却平静地对他们说:"孩子们,别忘了把种子埋入土里!"

第二十一章 把种子埋入土里

我们现在已经知道了关于黄家和张家两家发展的全部故事。我们已经看到了两家的家长东林和芬洲如何联结起来,又如何繁荣或衰败。从他们所从事的活动中,我们可以探索所发生的种种变化。

这些变化可分成三个主要阶段。第一阶段,青年时代的东林和芬洲都遭受了贫穷和居无定所之苦。只是在他们偶然相遇并彼此谈论起在湖口开一个店铺时,通向成功的机会才来到了。他们在镇上生意的成功,反映在他们家里和村里:他们盖起了新房;送孩子上学念书;给儿子们娶亲,举行庆祝宴会;祭祀他们的祖先;发展他们的家园;等等。他们往来于闽江上下游之间所做的稻米和咸鱼生意,成为赚钱的主要途径,其他活动和往来联系也都随之展开了。

第二阶段黄家和张家开始遇到麻烦和遭受不幸。芬洲的命运开始恶化,他对家庭以及后来对店铺的不适应,使他变得终日郁郁寡欢,最后因此而夺去了他的生命。他的儿子茂衡本来有机会开一个新店并重建家园,但由于他的失误和无能,让这种机会白白丧失掉了。另一方面,黄家这时也遇到了内部困难和外在打击,但是东林从以往的经验中学会了如何去适应命运的潮流、如何与朋友们携手并进,因而他获得了成功。其结果便是双方出现了越来大的差异,东林节节上升,而张家迅速衰败。

第三阶段,张家已从生活的画面中消失,只有黄家仍然奋斗下去,为了获得更大的成功,黄家继续扩大生意,并且与地方政治发生了关系。社会和政治发展之快使黄家不可能跟上潮流,最后,巨大的民族危机使黄家又回到他们最初的状态中去。

我们从这两家的历史研究中可以看出什么呢?应该怎样通过对家庭历史的剖析来解释支配人际关系的那些原则呢?从东林和他的家庭关系的描述中,我们可以看出存在着一种关系体系。这种体系意味着任何关系的组合,都可以从另一套体系中分离出来。在对东林早期生活的描述中,我们已经很清楚地提出了这种体系的概念。我们勾画了由竹竿和橡皮带所组成的框架结构,任何时候任何一个有弹性的皮带和一个竹竿的变化都可以使整个框架瓦解。人类行为的平衡,也是由类似这种人际关系的网络所组成。每一点都代表着单一的个体,而每个个体的变动都在这个体系中发生影响,反之他也受其他个体变动的影响。

像竹竿和橡皮带的架构一样,人际关系的体系处于有恒的平衡状态,我们即可称之为均衡。关于均衡的概念还可以进一步用物理学的研究来解释。我们知道,人体也是处于一种均衡状态,所以如果稍有刺激施于其上,便会产生反应;这种刺激一旦消失,身体就会恢复到以往的均衡状态。当人体受到感染时,一系列的伴随反应就会产生,如体温升高、白细胞增多等,直到感染被制止时,白细胞将降到原来的数值,体温也会恢复正常,从而身体又恢复到均衡状态。

人际关系的领域中也有类似的均衡状态存在。东林和他祖父之间的和谐关系便是这样的一例,老人的死使东林变得不安、孤独和悲伤。平衡状态被破坏了。只是经过很长时间之后，日常生活和工作才使他逐渐恢复了常态。

但是有时候作用在这个体系上的干扰力太大、太深刻，以致在干扰力被取消之后个人或群体却不能恢复原状，而是继续一种非平衡状态直至一个新的平衡状态的确立。这种新的平衡与旧的平衡状态有可观的不同，但是它可能包括旧有因素的重新组合。在东林的生活中，卖花生是重要的一环，因为它是把东林从家乡引向外部世界的基点。我们可以回想，东林是如何碰到芬洲，后者又如何把他带到市镇开展商业并互为搭档。店铺的生意在他们面前展现了一个新世界，他们从此走上新的生活之路。卖出和买进，称量和算账，此外还与市民们交朋友等等。在这个新建起的体系之中，店铺成了东林活动的中心，而家庭生活则退到了后面。

但这种均衡状态是不可能永远维持下去的。变化是继之而来的过程。人类生活就是摇摆于平衡与纷扰之间，摇摆于均衡与非均衡之间。

对像东林的店铺来讲，它本身就是一个紧密组合在一起的一个体系。其中成员互相合作，顺利工作。店铺的经营活动使得这个体系一天天充满活力地运行下去。而这些活动即是由人们群体间的互动作用而体现的，也即是说，店铺内人与人之间的关系或店员与顾客之间的关系。

当这个体系中人们之间的关系维持常态，均衡就能保持下来。一个店铺总有经常的卖与买之间的交往。如果没有顾客，店铺也将倒闭。所以很明显，相互交往的程度势必影响到均衡与否的状态。

我们除了了解人们为了保持均衡，通过不断调整内部关系以便彼此联系之外,还应看到这种调整适应的能力很大程度上受到各种技术、行为、符号及习惯的影响,这些总合称为"文化"。这些技术由于人们所处的时代及环境不同而异,它们制约着每个人与其他人之间的关系,决定了一个人必须与其他哪种人往来,因而也就为他的体系和结构的组成提供了基本的规则。在这个小店铺中,除了经营它的人们,还有一个形成整个气氛的环境存在,像桌、椅、酒壶、药箱、尺、柜台、秤、钱和账簿等物品,以及量、秤、算、写这些技术,还有人们谈话、记录所使用的语言文字,在买卖中所形成的习惯,这些全部组成制约人们交往关系的环境因素。一些日常活动是有重复的,但所发生的每件事都将与以往不同,因为上面所提出的那些环境因素是时时变化的,尽管店铺中的人员依旧。因此,在我们研究人际关系时,自然不能只看到那些处于均衡状态的人们及其相互联系,还应注意到影响和干预了人们交往联系的文化环境。

我们在上面已提出了某些支配人际关系的基本原则。人类生活在变化,但并非不遵循这些原则。我们花了不少笔墨来详述张、黄两家的故事,仔细描写他们的日常活动并小心地剖析各个人的人际关系,其目的就是要客观地勾画出张、黄两家各自命运的变迁,从而发掘出人类生活的真正图景。

我们所说的"变迁"是什么意思呢?就是指体系的破坏,然后再恢复或者建立新的体系。什么力量能导致变迁产生,即破坏存在着的体系的均衡呢?一般来说,有四种力量能使平衡垮台。

第一,物质环境的变迁促使适应于它的技术变迁,结果带来了这个体系内人际关系的变迁。黄村的客观环境很少改变,因而以务农为常规,这是从黄家的远祖那里传下来的,始终如一地没有任

第二十一章　把种子埋入土里

何改变。所以黄村农民能够在这样的一个农业体系中朝夕相处,年复一年。

第二,由于一种技术上的原因所产生的技术上的变迁,也会导致人们日常关系的变迁。当芬洲与东林中断了卖酒的生意而从事鱼米贸易,他们的具体技术也完全改变了。这也是东林第一次进城的原因,他必须在那里与鱼店、米铺、钱庄和船主们,甚至同搬运苦力们打交道,这使东林和他的店铺进入了一个新的境界。他几乎完全断绝了与家乡村里的往来,越来越专心致力于城里的鱼米生意,从而建立起一种新的生活,或说是新的均衡体系。在这个新的体系中他成为一个重要的人物,他必须能使鱼米的江运往来不断,从而保持生意的兴隆。

实际上,每当新的技术被采用,店铺里就会随时发生变化。拖船运输转成轮船运输使商品货物往来加快,大大便利了商业贸易,那些没有轮船之便的店铺就会破产而最终被逐出竞争的行列。

每当从事一个新的生意,也就会引进一种新的策略,因而也就会达到一种人际关系的新阶段。盐的垄断和木材买卖就是两个例子。由于垄断了盐的生意,店铺可以扩张势力设立盐库、控制市场。而木材买卖有它自己的步骤,如从森林砍伐开始,然后顺水放木排,运往城市,最后摆在商场上出卖等等。店铺此时成为这样一个中心,它引导工作方向并不断与各色人等签订合同;这些人共同合作分别负责木材生意中的不同过程和阶段。

第三,人物及班底的变换也会促使人际关系变迁。每个人都有不同的交往方式和不同的适应能力。一群人中一个新人物的替换或者是一个重要人物的增减都会暂时影响到体系的均衡,直到这个群体内部人员之间重新调整以便彼此相适应。广泛的接触和在商界的经验,使东林成为一个出色的商人和训练有素的经理。我们还记得芬洲在他短期退休之后又回到店铺时发现已没有自己的位置了。自从他告退以后,店铺的组织完全改变。东林建立起一套他自己的体系,在没有芬洲这位早期合作者的情况下,店铺经营井井有条。这个例子可以说明,人员的变更是一个致使现存体系平衡紊乱的因素,同时也成为建立起新的平衡体系的动力。

第四,一个体系之外在因素的改变时也会促使这一体系之中成员间关系的变迁,并波及这一体系的所有人员。东林同时既是家乡中他的家庭的成员,也是店铺的一员,所以店铺中发生的一切必然影响到家庭,反之亦然。我们已经看到,店铺越发展,它积累的财富越多,家庭的地位也随之升高。相反地说,当东林由于建造房屋而打官司时,受到牵连的不仅是他的家庭和亲族,而且也影响店铺和生意。

像店铺和家庭这样两个体系互相影响、互相依赖是可以看得很清楚的。黄家的上升是店铺成功的反映,而黄家孩子们所受到的良好教育和较为广泛的联系,又有助于店铺的扩展。由于东林长子、留洋学生三哥的努力,东林店铺才可能取得食盐的专卖权;而三哥和五哥作为轮船公司的重要成员,对店铺的经营发展也有过不小的帮助。五哥的死使公司中两派失去了微妙的平衡,于是接连发生了争吵、诉讼和改组。除了日本侵略所造成的民族危机,轮船公司的失败也大大摧毁了店铺和黄家的这两个均衡的体系,随后也就衰微破败,又重回了原先的贫困状态。

从我们对人际关系的研究中,我们可以了解到由个人所组成的各个体系是如何互相联系的,又是按照哪些原则发生变化的。这些体系的均衡和不均衡的变迁并非没有原因。一个个体或个人

第二十一章 把种子埋入土里

同时是许多体系中的成员，并且与许多其他个体相关联这样的事实，使得一个体系中的变化就影响到其他体系的变化。许多体系之间存在着内部的相互关系，无论是像店铺与家庭那样具有共同的成员而同时并列共存的体系，或者是像家庭、世系和宗族那样具有从纵面联系起来的体系，都能表明体系与体系之间的内在的相互关系。

如果简略地回顾一下张家的败落，我们不难发现它是与黄家的上升遵循着相同的原则的。当茂衡同大哥、方扬同开新店时，他的雄心是要重建张家，而且他也确实有一个好机会。但他和张姓女人的私奔以及长期在外滞留，转移了他对经商的兴趣，当他回来之后又发现两个伙伴之间存在严重的分歧与冲突。这是一个关键时刻，但他却漫不经心地选择并信任方扬。他进一步从老店中抽出了所有的款项，这不仅伤害了当时单独支撑店铺的年迈的舅舅，而且也伤害了茂魁寡妇，因为她的儿子对家庭的财产也具有所有权。我们可以看到这种关系链环的影响是多么庞大！茂衡的一个行动决定了新店的命运，不但影响了他自己家庭体系的不平衡，而且也影响到他的母系亲族的体系。

在这些情况发生之前有些人也许会说，茂衡从小与大哥便是亲密朋友，他应与大哥合作经营生意，而不与方扬合伙。但实际情况则相反。方扬为了取信于茂衡，装作非常恭顺，而且发誓做他的忠实随从。他们曾交换誓约，他们在一起聊天、喝酒、睡觉，他们为什么不能在一起合作开店呢？既然大哥与方扬之间不能和解，那么茂衡则选择了这个新交的密友。另一些人的观察力和判断力要比茂衡强些。记得东林曾对他提出过忠告，茂魁的寡妇也劝阻他这样做。局外人早就预测到他的失败。

科学不过是经过组织了的常识。一门科学的目的如果是为了控制人类生活,那么对于人际关系的研究就应当做得细致周密,以期能够预料将来从而掌握将来。

不过我们也清楚地知道任何种类的预言都是困难的,因为人际关系是如此紧密地纠缠在一起。就看我们的这个小小黄家是如何从一个僻远的村落中渐渐扩展到进入城市生活和国家生活吧。黄家成员逐渐与地方上各种机构发生了广泛的联系,以致这一地区或城市内无论是在政治、军事、经济甚至宗教等各方面发生的任何事情,都会直接或间接地影响到黄家。我们还可以回忆在最后一次商业冒险中,三哥将他的全部信心都放在轮船公司赢利的前景上。他是受过高等教育有智慧的人,可他却从没有想到那次冲突可能导致一场诉讼事件。即使他预见到了这场争讼,他也绝没有想到一场民族危机的灾难又毁掉了他的生意和家园。

至此,奉献在您面前的是两个有联系的家庭的详细历史。这是用一种关于运作的社会学观点所进行的研究。作者希望这本小书能为人际关系的深入研究者们提供一些原理。这或许对造福人类社会有所助益。

附录
《金翼》中张、黄两家系谱表

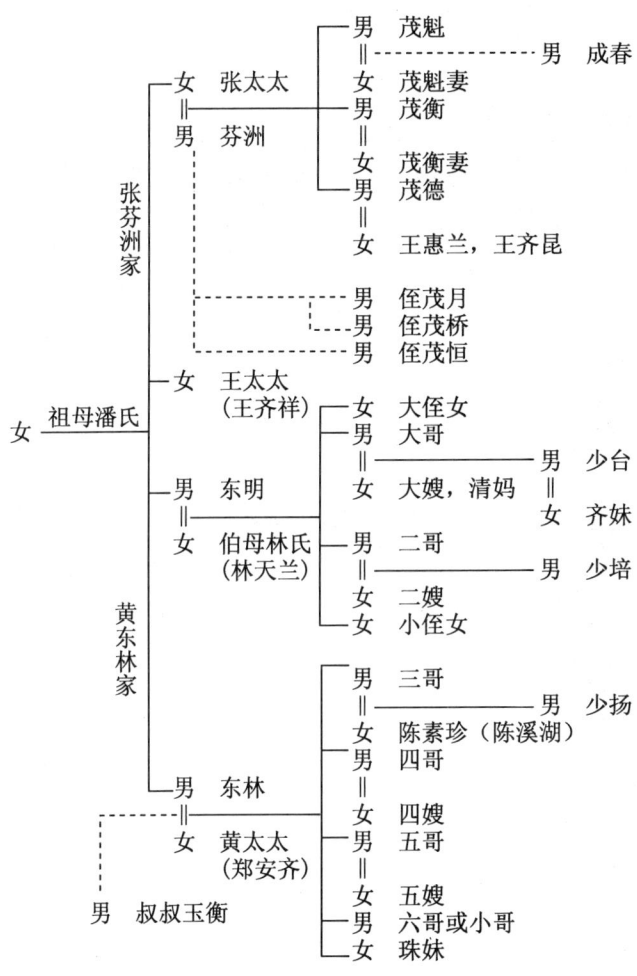

林耀华先生学术年表*

1910 年

3 月 27 日出生于福建省古田县岭尾村,先生排行最小,为家中的幼子。

1917 年

在本村开始读私塾。

1922 年

开始读书于福州英华中学。

1928 年

从福州英华中学毕业,保送至燕京大学社会学系。

1932 年

获燕京大学社会学系学士学位,毕业论文《严复研究》,获得优秀毕业生奖"裴陶裴奖"(燕京大学毕业生最高奖励。其论文的主体部分以《严复社会思想》发表在 1933 年《社会学界》第七卷)。同年开始燕京大学研究院的学习。

1935 年

获燕京大学研究院社会学硕士学位,毕业论文《义序的宗族

---

* 本年表由林宗锦、潘守永撰写。

研究》。

留在燕京大学社会学系担任助教,其间给著名功能主义学派大师拉德克利夫-布朗(Radcilliffe-Brown)做助教。

1936 年

经吴文藻先生的推荐,获得哈佛燕京学社(Harvard-Yenching Institute)的奖学金,赴哈佛大学研究院攻读人类学博士学位。

1940 年

6 月,获美国哈佛大学哲学博士学位,毕业论文"Miao-Man Peoples of Kweichow"(随后发表于 Harvard Journal of Asiatic Studies, Vol. 3. No. 5, 1940;中文名《贵州苗蛮》,直到 2000 年才翻译出版,收入《从书斋到田野》一书)。

开始在哈佛大学做助教,撰写 Golden Wing(《金翼》)。

1941 年

完成 Golden Wing(《金翼》)的写作。

经中国香港绕道回国,奔赴西南大后方昆明。

1941—1942 年

任云南大学社会学教授。

1941 年,参加在美国波士顿城召开的"应用人类学第一届会议"。

1942 年,受母校邀请任成都燕京大学社会学系教授兼主任。

1943 年

7 月 2 日开始进入川、康、滇三省交界的大小凉山彝族地区进行实地调查,前后共达 87 天,行程 3000 多里,奠定了凉山研究的根基。

1944 年

《金翼》(当时的英文书名为: *Golden Wing: A Family Chronicle*, 在纽约出版。

"A Brief Account of Yenching Expedition to the Lolo Community", *Journal of West China Border Research Society*, Series A. 15. pp. 41-46(1944).

《大小凉山考察记》,发表于《边政公论》第三卷第 5—6 期。

《大小凉山罗罗的阶级制度》,发表于《边政公论》第三卷第 9 期。

与陈永龄进入康区调查藏族,发表《康北藏区考察记》,成都《中央时报》,1944 年 9 月至 1945 年 1 月,连续刊登五篇考察报道。

1945 年

《康北藏民的社会状况》连续发表于《流星》月刊 1—5 期。

完成《四土嘉戎》。

1946 年

北京燕京大学复校,继续担任社会学系教授兼主任,后社会学系一分为二,任民族学系主任,到 1952 年院系调整止。

"Kinship System of the Lolo", *Harvard Journal of Asiatic Studies*, Vol. 9, No. 2, pp. 81-100(with 6 tables).

1947 年

《金翼》(当时英文书名为: *Golden Wing: A Sociological Study of Chinese Familism*),在英国出版。

《凉山彝家》由上海商务印书馆出版。

1949 年

10 月 1 日,率领燕京大学学生到天安门广场登台观礼。

1950 年

带领燕京大学、清华大学、北京大学三校师生赴内蒙古呼纳盟进行实地调查。

任中国科学院社会研究所兼职研究员。

1951 年

任赴西藏社会科学考查组组长,赴西藏调查。

1952 年

从西藏回京,调入中央民族学院任教授,兼任藏族研究室(二室)主任。

1953 年

赴东北内蒙古进行民族识别。

《中国东北部的鄂伦春族》,发表于《中国建设》(英文版)。

1954 年

率领云南民族识别调查组进行民族识别工作,历时半年之久,首先确定了彝族、白族、傣族、苗族、回族、佤族、哈尼族、傈僳族、拉祜族、纳西族、景颇族、藏族和瑶族,还识别了 68 个大小族体。

1955 年

《西藏社会概况》(合作)出版,收入中央民族学院《中国民族问题研究丛刊》第一辑。

《达斡尔民族亲属和风俗习惯的调查报告》(合作)出版,收入中央民族学院《中国民族问题研究集刊》第一辑。

《波密简述》(合作)出版,收入中央民族学院《中国民族问题研究集刊》第二辑。

1956 年

领导开展中国少数民族社会历史调查,并任云南调查组组长,出席在苏联列宁格勒召开的"全苏民族学会议"。

发表《中国民族学的当前任务》(与费孝通合著),指导全国范围内的民族学研究。

发表《关于少数民族识别的研究》(与费孝通合著),《人民日报》1956年8月10日。

1958 年

继续在云南进行民族调查工作。

1961 年

《凉山彝家》英文版出版(The Lolo of LiangShan, Human Relations Area Files, Inc. New Haven, Connection. USA. pp. 1—159)。

《中国的经济文化类型》(与切博克萨罗夫合著),发表于《苏联民族学》1961年第3期。日译连载于《东亚民族学论文集》第2集(1965)、第3集(1966)和第4集。

1964 年

担任《辞海》第一版编委会委员、分科主编。

1965 年

参加广西三江侗族地区的"四清"工作。

1975 年

第二次进入凉山调查("二上凉山")。

1976 年

《金翅——中国家族制度的社会学研究》(宋和译)由台湾桂冠书局出版。

1977 年

致信国家领导人,强调恢复民族学。

1978 年

恢复招收硕士研究生。第一届共招收原始社会史、民族史硕士研究生 10 人。

中央民族学院民族研究所成立,出任首任所长。

1979 年

当选中国社会学会副会长。

出席在墨西哥城召开的"拉丁美洲区域会议"。

出席塔巴斯科州召开的"我们时代的文化和人道主义的前景会议"。

1980 年

参加中国民俗学会第一届会议,当选中国民族学会副会长。

任《中国大百科全书·民族卷》编委会成员及民族学编写组主编。

1981 年

任日本国立民族学博物馆高级研究员。

发表《中国西南部几个不同类型的民族》(日文),日本国立民族学博物馆《民博通讯》第 14 期,2—13 页。

1982 年

出席"美国民族学会 140 周年年会"发表《凉山今昔》的报告,后收入"The Prospects for Plural Societies"一书。

到哈佛、耶鲁等大学讲学。

1983 年

在中央民族学院创办民族学系,开始招收民族学专业新生。

参加中印友好代表团访问印度。

出席在日本东京和京都召开的"第 31 届亚洲、北非人文科学会议"。

参加在菲律宾马尼拉召开的"第9届亚洲历史学家国际联合会议"。

1984 年

首次招收民族学博士生。

第三次进入凉山考察("三上凉山")。

参加在曼谷举行的"泰国研究第一届学术会议",并在朱拉隆功大学讲学。

《原始社会史》由中华书局(北京)出版。

参加联合国教科文组织主持的种族主义问题国际学术讨论会,做《关于民族、少数民族和种族主义的问题》的大会发言。

"Yizu of Liang Shan, Past and Present", in *The Prospects for Plural Societies*, ed. by D. Maybury-Lewis, & S. Plattner, Washington, D. C., pp. 88–103.

1985 年

《民族学研究》由中国社会科学出版社出版。

出席日本东京郊区大矶市"东亚前景规划研究会议"。

1986 年

任中央民族学院民族研究所名誉所长、民族学系名誉主任。

参加在英国伦敦及南安普敦召开的"世界考古学大会第11届会议"。

1987 年

任《辞海》第二版编委会委员兼分科主编。

1988 年

为庄孔韶、林宗成翻译的《金翼》撰写新的序言(1989年由商务印书馆出版大陆中文版)。

林耀华为导师的中国第一位民族学博士生庄孔韶通过答辩，荣获博士学位。

1990 年

《民族学通论》由中央民族学院出版社出版。

1991 年

《金翼——中国家族制度的社会学研究》(庄孔韶、林宗成译)由香港三联书店出版。

1995 年

《凉山彝家的巨变》由商务印书馆(北京)出版。

1997 年

《民族学通论》修订本出版。

1998 年

《林耀华学述》由浙江人民出版社出版。

2000 年

6 月,《义序的宗族研究》,由三联书店出版。

9 月,《从书斋到田野》,由中央民族大学出版社出版。

《社会人类学讲义》,由鹭江出版社(福建厦门)出版。

11 月 27 日逝世于北京,享年 91 岁。

[说明:2004 年,《金翼》的韩文版由韩国高丽大学出版社出版。]

林耀华先生写作《金翼》[*]

庄孔韶

海内外研究中国家族制度的学者往往要参考一本叫做 The Golden Wing（《金翼》）的书，该书在二十世纪四十年代曾以英文版首次面世。大概是用外文撰写又在异国出版的缘故，国内知道有这样一本书的人便寥若晨星了。如今《金翼》的作者林耀华教授已年逾古稀，所幸尚无龙钟老态。先生喜欢骑一辆自行车，每日往返于宿舍区和校园之间。我因为时常在他的书房兼寝室里面见林教授，久而久之，有关《金翼》的一些细节便得以先悉。听说近年来国外对我国社会学、人类学、民族学界的吴文藻、费孝通、林耀华等知名学者潜心进行研究的大有人在。这种人物研究甚至成为博士论文的题目，有的人颇下工力，连这些学者早年在报章杂志上以笔名撰写的小文都注意到了。我想，对于这些研究者来说，有关《金翼》和它的作者的一些往事，也是不无搜集价值的吧！

学术论著以其艰深晦涩常常令人望而生畏，因此，有一些学

---

[*] 这篇小文撰写于1983年5月，后来登在《读书》杂志（1984，第一期）上，一晃30年矣！今天稍加增删，为商务版《金翼》作导读之用，高兴之至。文中仍保留了林先生古稀之年骑自行车的一段话，好像他今天还没有离开我们。——孔韶谨记

者写研究著作，往往喜欢变换体裁，以得深入浅出之妙。《金翼》便是以小说体写成的。以篇幅论，大约可以看成是一部中篇吧。一般读者也可以随便读读，但行家一看则不止于此，因为它不过是借用了小说的形式而已，该书的副题"中国家族制度的社会学研究"，就已表明了它学术研究的宗旨。而它所特有具有导言和尾声中作者的结论也是一般小说所无的。

《金翼》描写的是二十世纪初至三十年代发生的事。它的社会舞台则是福建闽江下游的黄村。由于地处商旅要道，社会经济的发展，特别是商业经济的发展，给这里传统的中国农村社会与家族生活带来了巨大影响。两位姻亲兄弟张芬洲和黄东林家颇有了些积蓄，于是他们便想各自为自己的家人建一幢新居。那时的中国农村，盖新房不是件随便的事，首先要看风水、选择宅基。这一风习在我国有着十分久远的历史。风水先生注意到山脚与河流转弯处一片静谧的田野，盛赞这里是"龙吐珠"的好风水。不料芬洲仗着自己年长捷足先登，占据了这块吉祥宝地，建起了新居。东林对姐夫的做法极为不满，但又无可奈何，只好忍气吞声独自在山谷台地上盖起了新房。后来东林长子的一位善于讨人喜欢的同学来此度假，当他爬到东林家房后的山头上，好像发现了什么惊人的事似的大喊道："这就是风水呀！这座山看起来就像只金鸡，它的头和脸朝前，羽翼伸向你家（指东林家），会使你家兴旺。就让我称你家为'金翼'之家吧！"金鸡山也确有这般雄姿。从此，金翼之家的称谓传遍了黄村所有的人。两位姻亲都相信自己宅基的好风水会给他们各自的家族赢得昌盛的未来。二三十年过后，东林家确实达到了繁荣的巅峰，而芬洲家却人丁零落,只剩下大儿子的寡妻和她的养子,张家已经破败了。

作者当然不相信所谓"风水轮转"之说,尽管张家的衰败可以用"龙尾断了"的托词来解释,社会学者的责任却在于揭示家道中落的进程与原因。林教授把黄村两姻亲兄弟家的变迁分为三个时期:首先,土生土长的东林和芬洲年轻时家境都很贫寒,一个偶然的机会,使他们在湖口镇合营了一爿小店,结果镇上兴隆的生意促成了乡村生活的改观。他们营造新居,供孩子读书,为儿娶妻,家业渐趋富足。大米和咸鱼的买卖成为他们的生财之源,其他社会交往也就此展开了。随之,两家都遇到了困难,张家因不适应家庭与社会变迁,芬洲去世后,景况惨淡;而东林则在困境中学得聪明起来,遂一度使家境达到繁荣富足的峰巅。最后,芬洲家从生活的画面上消失了,只有东林还在奋斗。他扩大生意,与地方政要联系,但经营的失败与日本人的入侵,终使东林家又跌落回贫困之中。

《金翼》不是玩弄技巧之作,它以朴实的平铺直叙的方法,描写了中国福建乡村家族兴衰的一个历史断面。正如英国著名人类学家弗思(R. Firth)教授为该书写的导言中所指出的,这本书用的是"如描绘竹叶一般的简朴的形式,却藏着高度的艺术"。全书自始至终贯穿的那种细致描写,涉及中国南方传统农业、商业、地方政治、民间盟会乃至土匪面目;刻画了看风水、供灶神、祭祖先、婚葬仪式、节日娱乐的栩栩如生的画面;从微观上不带偏见地推出了各辈亲属及人际关系网络中的数十个人物形象,并刻意记述了中国宗族乡村与四世同堂大家族的亲属关系、礼节与纷争。这无疑弥补了有关中国宗族与家族制度研究的论文难以有大量细节描述的缺失。有意思的是，由于《金翼》系以小说体写成，它也引起了海外一些引用资料务求真实的治学谨严的学者的疑问，即《金翼》的故事和其中的人物，是虚构的，还是真实的？林先生曾对我说过，《金翼》不同于一般小说，它叙述的完全是他的村史、家族史。知道了这一点，我们就不难从书中东林家的六哥（即小哥）身上，隐约窥见林先生青少年时期的身影。只是台湾译本里译者编制的芬洲与东林家系谱表上，将六哥与珠妹之间错误地划上"＝"，要知道符号"＝"意味着婚姻关系，其实珠妹的原型是林先生的亲妹妹，真名友贞。书中的主人公黄东林便是林教授的父亲。而那兄弟六人也都确有其人，不过现在除了三哥和作者自己外，其余均已过世。

　　林先生祖籍闽南漳州，后迁到古田距谷口镇（即书中的湖口）五里的岭尾村（即书中的黄村），繁衍了十代人，包括三个自然村，绝大多数人家都属林氏后裔，所以书中的黄村／岭尾，实际上是林村。《金翼》中出现的山川村镇人事，均为五六十年前写照，只是村镇等小地名有所改动，本家人物也大多改姓（如林姓改黄姓），人物若为双字名，则第二个字不动，第三个字加以更改。对于自己家族内部亲属之间的复杂关系和敏感内幕，中国人往往是讳莫如深的，由于《金翼》对这些关系的记述与分析，出于学者的中肯态度，所以如今作者对披露真相并无难色。而这，对于我们认识这本家族社会学人类学著作的价值，却是十分重要的。

　　一九三六年吴文藻教授赴美出席哈佛大学成立三百周年校

庆时，与哈佛燕京学社负责人商妥，派林耀华赴美学习人类学专业，并攻读博士学位。哈佛大学人类学系历史悠久，林先生在这里受到了比较全面、扎实的体质人类学、文化人类学、考古学、语言学等学科的基本训练。《金翼》就是他运用人类学理论研究中国文化的一次大胆的尝试。

《金翼》的写作始于1940年。当时，林先生已在美国哈佛大学人类学系获哲学博士学位，未婚妻饶毓苏女士也已在另一小城诺桑普敦（Northampton）一所大学获经济学硕士学位。遗憾的是饶女士因患肺病不得不留美就医，林教授也因此而羁留在哈佛，做些统计与助教一类的工作，时而乘车去探望毓苏女士，往返于诺桑普敦和波士顿康桥（Cambridge）之间。就在这段闲暇时间里，他萌生了写作《金翼》的念头。"因为是自己的经历，所以容易写"，翌年全书便脱稿了。在太平洋学会腊斯克教授父子（B. Lasker and G. Lasker）的帮助下，这本书于1944年在美国出版。1945年林教授在成都燕京大学社会学系兼代理系主任时，又对它加以修订，并请弗思教授作序，交由英国伦敦Kegan Paul书局出版。（1947年首版拖延至1948年面世。）1949年，日本柳田国男等知名学者还专门召集了两次以《金翼》为中心、把中日两国放在一起进行比较社会学研究的座谈会，会后发表了五位学者的见解与评论（见《思想的科学》1949年7月号）。最近听说，海外很多大学把此书选为中国研究的必读书或参考书。

对于芬洲和东林两家的盛衰，林先生在写作《金翼》时，主张要从人际关系的观点来讨论。所谓人际关系是指中国旧式大家族内人际关系以及家族同外在的各种人们形成的相互关系。在人际关系构成的各个系统中，一些因素可以打破人际关系的平衡，于是人们便会建立起另一种新的平衡。这就是所谓人际关系的均衡理论。正是从英国发源的人类学的功能论的某些静态的、理想化的解释性缺陷，才导致和派生了产生于哈佛大学的改善了的平衡论。

林先生提及四种能够影响这种平衡的力量：物质环境、技术环境、人的适应力及各人际关系系统之间的关系。现在，当先生回顾四十年前所做的社会学分析时，觉得还有一定局限，例如他觉得对岭尾、湖口乃至古田县的乡镇社会经济矛盾及其发展的分析略感不足；对事物发展的原因的描述，亦有偶然性之嫌。不过，当我们平心而论，无论何种论著形态，单独一篇均难于说尽，何况小说体更要考虑到生动叙事及可读性。后来，笔者的研究发现，林先生的哈佛研究生同班同学的同时代人类学社会学作品均使用了平衡论。如果我们简单地评价一下，当时的平衡论特点是在理想化的功能论中容纳了个人的进取性，以及强调社区体系平衡与不平衡交替的动态过程。在比较了他的哈佛同行在爱尔兰乡镇，以及在工业企业研究的其他作品之后，我们还会看到林先生特别强调"影响和干预人们交往联系的文化环境"的意义。这一点在他更早的福建义序研究中也清晰地得以呈现，即在两个不同规模的福建宗族乡村，人民究竟是如何组织起社会生活的，展现了中国东南部乡村社会同欧洲的明显文化差异。林先生的这两部著作，先后展示于国际学术圈，最终带动了世界性的中国宗族乡村研究学派的不间断的研究热潮，至今方兴未艾。

显然,《金翼》早已是一部关于中国社会与文化的重要的学术著作,同时也是很少提及的现代文学人类学的先驱性作品。而今,林先生描写的家乡发生了巨大的变化,公路网、水运网和铁路四通八达,金翼之家的后裔有不少散居在各地,黄村和岭尾(即后来更名的墓亭和再度更名的凤都)已不再是同姓宗族乡村了。因东林和他的后辈们带头,村民们早已走出了那个橄榄状的山谷,奔向全国各省经商和工作,这大概是传统农业社会的必然结局吧!然而,东林家的儿孙们尚有一些人至今未离开故土,日日嗅着金翼下泥土的芳香。

庄孔韶,1983年5月撰写,2013年11月24日修订